D1550319

康特的難題
Cantor's Dilemma

翟若適(Carl Djerassi)／著
吳玲娟•楊潔•錢恩平／譯
吳嘉麗／校訂

聯合譯叢 022

本書作者翟若適網址：
http://www. djerassi. com

目次

／翟若適

（代序）康特的難題

李遠哲

本書作者翟若適（Carl Djerassi）教授過去三十幾年一直任教於美國加州史丹福大學的化學系。他是有機化學界一位響叮噹的人物，最著名的當屬一九五一年第一個避孕藥的合成就是由翟若適領導完成的。他在化學界的成就尚包含利用光學方法解決分子立體結構的問題，質譜學的應用，利用人工智慧來推定分子結構以及近十幾年在海洋天然生物方面的研究。

翟若適教授一生得獎無數，一九九二年退休前所得的另一項重要獎項是美國化學學會所頒的最高榮譽的普利斯來（Priestley Medal）獎。據翟若適自己表示，他希望退休後把他的時間與精力能多放在他方面的興趣上。的確，他關心公共議題，尤其是人口政策，他喜歡各種表演藝術，他是一位現代畫的收藏者，也是翟若適藝術家基金會的主持人，他更勤於科學界故事的創作。退休前他已出過一本短篇小說選輯，而這一本《康特的難題》就是根據選輯中的一個短篇改寫而成。此外他還出了兩本傳記，一本學術上的，一本個人生活上的。日前他又出了第二本科學界的小說——*The Bourbaki Gambit*，也是藉著科學上的重大發現，來討論科學家的心態等種種議題。

翟若適教授與我的研究領域雖不相同，但是我們曾同在舊金山灣區的兩所大學化學系任教，彼此不僅認得，也有很多見面的機會。最近的一次是在一個討論研究倫理的會議上。美國學術界過去十年恰好發生了好幾件頗受矚目的僞造實驗數據、剽竊同行構想等爭議事件，甚至引起國會調查。台灣近年類似的案例也時有所聞，諸如論文抄襲、一稿兩投、作者排名先後的爭議；或如未經指導教授同意，擅自發表論文；或聽說教授發表論文有意省略參與研究的學生姓名等等。事實上，在求學或研究的過程，絕大多數的指導教授與學生的接觸似乎多侷限在專業的課題，討論研究的方向，實驗的設計，指導實驗的技巧，以及論文的寫作等，很少論及學術倫理的問題，如教授、合作者與學生之間應以何種態度相處？如何互相尊重與信任？實驗筆記應如何記錄？什麼情況算是捏造數據，什麼情況只是修飾結果，有時並不是那麼明確。論文作者排名有何意義，通常應遵循那些原則？什麼叫一稿兩投？兩篇論文百分之七、八十的內容一樣，算不算一稿兩投？審稿或審計劃時交給自己的高足代審，萬一這位高足剽竊了人家的創意，這時指導教授該負什麼樣的責任呢？

翟若適教授根據他過去五十年在科學界的經驗及所見所聞，以一位生物界的名教授——康特爲主角，娓娓道來康特的困擾。穿插於主角間的有他的同行教授、他的得意門生，以及他們生活中的文藝氣息及男女感情的一面。透過這個故事，他試圖寫出學術同行間如何競爭，如何不信任，如何利用、要脅以爭取所謂的最高榮譽——諾貝爾獎，學術人如何渴求同行間的學術地位認同，如何爭取學術上的優先權，並比較了科學與人文學界在發表論文上的一些差異。對研究生來說，故事中觸及到指導老師的選擇，論文作者排名，實驗筆記的書寫，投稿的策略及其政治影響，以及同系繁殖，一脈相傳的缺點。《康特的難題》這本書中還特別提到女性研究人員在學術界晉升之不易，而書中的兩位女性如何爲自己的學術前途規劃。

雖然對前述這些與學術倫理有關的問題，故事中都有所觸及，可惜仍顯得不夠深入，而且有些論點也只是片面的看法，其實《康特的難題》書中描述的一些事情，並不是美國高等院校的一般現象，在很多出色的一流大學裡，我們常能看到一群，熱愛科學、獻身科學的教授們，陶醉在眞理的追求與年青人的培養上，他們的努力確也是美國科學蓬勃發展的動力。但是我仍然非常樂意爲這本書寫序推薦，因爲過去太少見到討論學術倫理的小說了，在台灣更未見過。一般讀者可以經由這個趣味的故事認識到科學界的一些生態與生活點滴，而科學工作者更可藉著這本書中的諸多情節自我反省並繼續這些話題。讓我們都來關心「學術倫理」這一議題，並以嚴肅虔誠的態度面對它。

第一章

「該死！」

他捂著抽痛的膝蓋咕噥著。靠右手順摸牆壁，他摸黑蹣跚地走進了盥洗間。毋須神經生物學方面的學識，他也知道對視網膜的光化刺激會使人睡意全無。

要是在家裡，他對自己的路徑瞭如指掌：從床右側下地，左腿蹭著床邊邁四步，然後右手扶牆，三步進入盥洗室。左手摸著洗臉池，右腳便可謹愼地觸及馬桶的底座。他往往閉目蹲坐，在黑暗中回想剛剛發生的夢境。就像不開燈一樣，憶夢會助他重新入眠。

然而今夜，他下榻於劍橋（Cambridge）的喜來登（Sheraton）飯店，就在哈佛（Harvard）廣場的對面。剛才他可眞是撞痛了他的膝蓋。坐在馬桶上，他還一個勁兒地揉它，靜謐中最後幾滴尿液的滴答聲清晰可聞。疼痛使他完全清醒過來，他的思緒轉到第二天的講座上。突然間，他像被電擊了！天那！怎麼我以前就沒有想到這個主意？他伸手打開燈，從霎時的目眩失明恢復過來後，他取下門後的睡袍。

這時正是凌晨三點十四分，康特（Isidore Cantor）教授在窄小的書桌前坐下，在唯一所能找到的一張紙片急速潦草地書寫。也許這是有史以來的第一次，一個具有諾貝爾（Nobel）獎價值的念頭被記在一張洗衣清單的背後。

第二章

「克羅斯（Krauss）」腫瘤的名稱來自它的發現人——哈佛大學的腫瘤學權威庫爾特·克羅斯（Kurt Krauss）。克羅斯腫瘤之所以與衆不同，是因爲以其命名的人，克羅斯，依然健在。

他的腫瘤已成爲測試檢驗多種新的化學療劑的關鍵模型，如果新藥劑對它沒有效果，那進一步的研究就十之八九沒有發展前途。

腫瘤學領域的種種傳聞往往在克羅斯的實驗室裡被證實或被否定。辨別其眞僞的最佳途徑是通過克羅斯主持的午間討論會。不久前克羅斯給康特打了一個電話。

「康特，聽說你最近埋頭在致瘤學的什麼新理論啊。」

「可不是。」康特答道，「儘管還只是個假設，但我是挺認眞的。」

說起來，康特假設的概念還眞有其獨到見解。他認爲致癌的罪魁禍首一定是一種蛋白質。這種蛋白質穿透層層細胞膜進入其他細胞，破壞搗亂。所有的細胞膜，除特殊情況外，只允許單向運輸。他認爲問題的關鍵在於，如果一種由變異引起的化學變化，給予致癌物雙向移動的能力，會造成單個入侵者不僅能殺死一個正常細胞，將其癌變，而且還能從細胞裡出來，再入侵下一個正常細胞……與蛋白質單向運輸有關的那部分結構往往位於蛋白質的「自由氨基」附近，在已知組成蛋白質的二十種氨酸中，只有精氨酸含有三組這樣的「自由氨基」。康特的假設是精氨酸結構的某種變化造成了蛋白質的雙向運輸。

「那你能夠驗證它嗎？」克羅斯的提問立即觸及到了康特的弱處。康特還沒有設計出任何能證實他的假設的實驗，而一個缺少證明的構想有時是很危險的，你也許會花上畢生的精力去驗證它而徒勞無獲。

康特很不情願地承認道：「暫時還沒有，但是我正努力著呢。」

「在你構思的階段，何不過來給我們講講你的假設？」笑聲從話筒裡傳來，「也許我們能替你免去驗證的麻煩。」

人們對到克羅斯的討論會去做講演，向來是有邀必往。三個星期之後的今天，康特就在旅館裡撞痛了膝蓋。次日早晨，他正在白蘭地餐館吃早餐。他一邊吃一邊翻閱著他的筆記。早先康特一直在擔心，因爲克羅斯的提問常不留一絲情面給講演人，那怕是對他的朋友。但經過昨夜廁所內的頓悟之後，現在康特信心百倍。當然他決不會對哈佛大學的任何人提起能使他的假設變爲不可否認事實的實驗計畫。他深知一定會成功，這個設計眞是巧妙極了，一定會成功的。

克羅斯的王國落座在波士頓（Boston）裡的哈佛醫學院。因爲康特想拜訪哈佛廣場另一頭的化學系，所以在劍橋落腳，而沒有直接去波士頓。哈佛廣場好似一條護城河，將哈佛的好幾所學院割裂分開。這些學院的學者們很少放下彼此之間的吊橋，儘管他們成年累月在鄰近的相關領域裡工作。年近六十的康特已是國際知名的細胞生物學家，但卻很少有人記得他當初獲得的是有機化學的博士。畢業後他到國家健康研究所做博士後研究（Postdoctor），他先是研究用放射性同位素標記技術檢測一類用於實驗動物的新鎮定劑，但他很快轉向研究從同質組織中分離的酶，這與他在研究所研習的合成化學相距十萬八千里。在巴黎的巴斯德（Pasteur）研究所，他涉足剛剛萌芽的細胞生物學，從此便不能自拔，開始與化學分道揚鑣，康特對他科研生涯的演變是頗感自豪的。一個有機化學家，不管是理論家或是實驗家，他的研究思維主要集中於分子水平上，而生物學家習慣於考慮整個系統，譬如整個細胞，整片葉子，或者一棵樹。康特早年在化學上的訓練，對他逐步演變成一個分子細胞生物學家起了極大的影響。

康特本來只打算到哈佛化學系禮貌性地拜訪一下他當研究生時的老朋友布拉克（Bloch）。然而幾小時之前的靈感，促使他決定改變上午的行程。布拉克在一九六四年因爲闡明人體膽固醇的合成機理而獲諾貝爾獎。

近年來，布拉克一直在研究由磷脂膜包納的人工泡囊的形成過程，他的方法對於解釋活細胞單向運輸機理的實驗至關重要，而這正是康特將用於驗證他的假設的方法和手段。布拉克及其同事已利用這個方法成功地證明，膽固醇除了爲人體提供類固醇來製造性激素、可體松之外，還具有第二個主要功能：磷脂中所含的膽固醇可以減低細胞膜的流動性，進而爲化合物進入細胞的單向運輸提供了最佳的粘性。與康特的工作更加緊密相關的是，他們發現癌變白血球的細胞膜往往比正常淋巴細胞的細胞膜有更大流動性。這會不會是由於癌變細胞中膽固醇含量的減少所致呢？慢性白血病人血液裡的膽固醇含量確實比常人要低一些。更值得注意的是，如果在癌變了的白血球中加入膽固醇後，不但其細胞膜的液性降低，白血球本身的癌性也減弱了。難道這些都僅僅是巧合嗎？布拉克向來以願意傾聽同行們的問題而著稱，康特決定將布拉克的禮貌性拜訪改爲整個上午的研究討論。若能得到諾貝爾獎得主的免費諮詢，這不是利用時間的最好方式嗎？

克羅斯的討論會裡坐滿了研究生、博士後和外系來旁聽的人。有幾個嘴裡還正嚼著食物。四處亂放的空杯子，皺巴巴的三明治袋子和揉成球狀的餐巾紙到處可見，大多數人已吃完了午飯。克羅斯滿臉的不耐煩，康特剛走到會議室的前面，他便立刻站起來，頓時房間裡一片寂靜。

「由於時間已經晚了，康特教授的簡歷就毋須介紹了，」他給康特投去責備的一瞥，「我們請講演人給我們介紹他的新理論。」他對康特點點頭，「請開始吧。」

幻燈機及其他的視聽設備是科學演講報告中不可或缺的東西。尤其當講演的內容有化學分子結構時，這種設備更是重要。當今科學課題日趨繁雜深奧，即使同行之間的講演也離不開投影機或幻燈機，康特選擇了投影機。

在一卷透明的膠片上，康特用紅黑兩筆交替寫下他的講演內容，房間裡燈光暗淡，他的字跡被放大投影到他身後的銀幕上。康特對自己的講課風格頗爲自豪，精巧的圖形與準確的語言融爲一體。他的聽衆也對此很感激，因爲他們在聽講的同時還能記筆記。碰到那種倉促急躁的講演人做報告，做筆記是絕對不可能的事，你只能不斷聽到他們一個接著一個的命令：「請放下一張幻燈片。」

克羅斯有時故意做出恐嚇講演人的事來，這可以與已故的羅伯特·奥本海默（Robert Oppenheimer）相媲美。當康特剛開講了幾句後，克羅斯向前排的鄰座耳語道：「我們一定要在我們的聖殿裡給康特下點馬威。」他的聲音之大，只怕已傳到了講台上。他也是以打斷別人的講演而聞名。難怪那些受害者們常用「惡名昭彰」這個詞來形容他。他知道何時打斷演講，導致講演人的自信心一落千丈。更甚的是克羅斯幾乎目不轉睛地盯著講演人，許多經過他凝視的過來人聲稱他們從未看到他眨過眼睛。

康特倒不信這些傳言，但今天他覺得有必要格外小心。他的理論是如此的新穎，說不定職業性的妒嫉會使克羅斯的口舌更加尖銳。他的遲到也對他不利，更糟的是他在開場白裡解釋遲到的原因，竟是由於他和布拉克之間一場令人興奮的工作會談。對克羅斯而言，在到他的實驗室之前先到城河對面的化學系是不可寬容的不恭，而康特竟在公開場合上振振有詞。

紅黑二色的彩筆在康特手中各派用場，主要的論點都用黑色，紅色是專門注釋之用。但今天卻不同，不出五分鐘的工夫，他便兩次發覺自己用錯了筆，不得不間斷自己的演講，擦掉錯誤的顏色。並非是由於過分的謹愼使康特失態，而是因爲這是他首次就自己的構想作報告。他驚奇地發覺演講的同時他的思維沿著兩條平行的軌道飛速運轉著：一是口頭上的，一是內心深處的。他一邊聲音嘹亮地闡述他的構想，一邊在心裡用他的實驗構思對所講的每一句話進行驗證。他的聽衆絲毫察覺不到他的心思正在別處旋轉飛舞。

講著講著，康特對他構思的實驗越來越有信心。他恢復常態，就像進入交響樂的最後一個樂章，他的演講漸入高潮。直到現在克羅斯的舌劍從未出鞘，康特的推測確屬非凡的智慧傑作，眞心的讚賞佩服使得克羅斯啞口無言。他已在心裡想好了康特演講完畢後他該說的賀語，克羅斯的妙語連珠也是出了名的，但這次他的俏皮話將載入哈佛的史冊！

康特仍在忙前顧後，一會兒他在透明塑膠片（Plastic Sheet）上飛速地書寫，一會兒他後退幾步用手指點著銀幕上的圖像。臨近結尾時，他在精氨酸三字下面畫了二道紅槓，然後特地畫出它的化學結構式，揪出那三組有罪的氨基。在最後講結語時，他再次將注意點集中到精氨酸上，凱旋式地在此三字後面用黑筆打了二個驚嘆號。然後迅速回轉身來面對聽衆，這時他面色泛紅，呼吸也有點喘了。

不管是在化學或細胞生物學領域裡，科學演講往往有一個固定的模式。就像電影結尾後會來那麼一大串燈光師，劇務人員的名字，演講人打出的最後一張幻燈片上也寫滿了報告有關的人名。「讓我在此感謝我的這些合作者，沒有他們的技能和奉獻精神，這項工作是不可能完成的，我還感謝國家健康研究所的經費支持，感謝大家的光臨。」

通常投影機會在這個時候被關掉，房間的燈重新打開，聽眾們會根據場合或熱情地或禮貌性機械式地鼓掌。當演講人笨拙地從脖子上解下麥克風的電線，主持人便起身與他耳語，他盲目地點點頭，於是主持人便問聽眾道：「某某博士同意回答一些提問，那位要發問？」於是接二連三地有人舉手。

然而這千篇一律的劇本，卻沒有在哈佛醫學院這個非比尋常的討論會上上演。康特教授沒有感謝任何合作者，儘管講演的時候他一直用的是第一人稱複數——我們，他也沒有提到任何具體的實驗工作，他所講述的只是一個推測：他自己的推測。當然也就無需一張充滿人名的幻燈片。可是當燈光亮起，卻沒有響起康特期待的掌聲，迎候他的卻是陣陣竊笑和隨之而至的大笑。他驚怔住了。

第三章

康特的秘書史蒂芬妮問道：「傑利·斯達福（Jerry Stafford），你到那兒去了？康特教授要見你。」

傑利說：「是嗎？我還以爲他今天下午才要從波士頓回來。」

秘書說：「教授趕搭了昨晚的飛機，今天早晨比我早到這裡。」

傑利·斯達福心中納悶康特到底在忙些什麼。

史蒂芬妮擺頭示意道：「他正在辦公室等你，最好馬上去。我從來沒見過他這樣的急躁。」

「請進，把門關上。」康特說：「我沒想到你也按常規上下班作息。」他示意傑利在書桌對面的椅子上坐下。說起來，傑利倒不在乎這個含蓄的挖苦。他很得意康特視他爲能夠隨便交談的那一類人。康特與實驗室裡的大多數人不一樣：他屬於夜貓子型。所以傑利和其他同事們猜測他一定利用晚上的時間閱讀有關的文獻資料，追蹤最新的進展。然而，除了他的秘書史蒂芬妮以外很少有人知道他的事情。

他總是八點準時到達辦公室，同時也希望他的學生們能夠隨叫隨到。一般研究生們都起得很晚，因爲他們常常工作到深夜。康特聲稱他並不反對，甚至提倡工作到深夜，但他仍希望他們早晨能做到和他同時到達實驗室。但是，傑利不在乎這個常規，只要有機會，他就會試圖改變這個規矩和框框。

傑利表示異議道：「I.C.（I.C.爲康特全名的縮寫字母），博士後並不必要按時上下班對嗎？而且我也是偶爾在你出差時才遲來。」

康特的臉上露出一絲微笑。傑利心中清楚他是教授的得意門生，在私下場合允許一定程度的不恭。儘管他是一個美國教授，康特卻很注意他的爲人與尊嚴，與普通的教授是大不相同的。自從他離婚後，十幾年來他沒邀請過任何一名學生到過他家。傑利也不例外。過去康特的妻子經常在感恩節時爲全組舉辦大型的雞尾酒會，在聖誕節時請客，偶爾也爲一些外籍同事的太太們辦小型聚會，但這一切都已成往事雲煙。

傑利說：「I.C.，我原以爲你今天上午不會回來。」除傑利以外，實驗室裡沒有其他人能直呼康特爲「I.C.」。按慣例，應尊稱爲「康特教授」，或簡稱爲「教授」。只有與他地位相當的人才可直呼康特爲「I.C.」。但不知何時傑利也上升到敢直呼康特爲「I.C.」的輩分。

傑利問：「你在克羅斯實驗室作的科學報告反應如何？是否引起轟動了？」

康特將其座位從面向傑利轉朝窗口。在他稜角分明的臉龐上鑲嵌著濃厚的眼睫毛；所謂猶太人的大鼻子常使人聯想起希臘、羅馬的硬幣。他那棕黑色的長鬈髮中夾有幾許銀絲，總是被精心地梳理著，他的嘴唇厚實而滋潤。康特注視著窗外的景象答道：「他們發出雷鳴般的……」他故意停頓了片刻並轉向傑利說：「哄笑聲」。他常使用這樣的手法去打動人，無疑這次他又得手了。傑利的臉上堆滿了疑雲，摸不著頭腦。「笑聲？」

「對。哄笑聲。當作完報告後，一打開燈時，聽衆立即發出了雷鳴般的大笑聲……」。

傑利完全被弄糊塗了，他很難想像，一個從不在演講時開任何玩笑的人，其精心準備的科學報告會被報以哄笑。即使發生康特下了個雞蛋似的奇蹟，也不至於讓康特教授受到這樣的難堪。康特點點頭道：「你的表情跟我完全一樣，我當時大吃一驚。在環視聽衆後，馬上意識到他們不是在哄笑我個人，而是我背後的東西。傑利，你猜猜看，我轉過身去發現了什麼？」

傑利搖搖頭。

康特接著說：「也許在報告結尾時，我完全進入了我的演講世界裡，情不自禁地直接在屏幕上描畫了起來，而不是寫在透明片上。一當關掉投影機，打開照明燈後，立即在銀幕上顯示出紅與黑的各種圖畫。」

「我的天！I.C.」。傑利驚叫道：「我眞希望當時能在場，後來你怎麼辦呢？」

「我非常難堪，用唾液打濕毛巾，試圖去擦除墨跡。無疑這越弄越糟，招引了更多的譏笑和竊竊私語。不過，傑利。」他擺擺右手，示意傑利停止發笑。「那位世界著名教授克羅斯的行爲卻讓我終生難忘，他從座位上跳起，向我跑來，抓住我的雙手說：『別弄乾淨了，就在上面簽個名吧。你的這個精采的演講將被載入史冊！』直到這時聽眾才開始起立爲我熱烈地鼓掌。」

傑利被感動了，他從未見過康特這麼坦率地談論著自己，且流露出熱情的自豪，而不是冰冷的自傲。傑利對康特說：「這一定讓你很開心，尤其這個讚譽來自於克羅斯。」康特回答說：「是的。但這還不是全部。好戲還在後頭呢。當我們私下單獨在一起時，克羅斯說我的推測就好像華生和克里克（Watson and Crick）的核糖核酸螺旋結構一樣，是科學家一生中只可能有一次的那種構想。當然，他也許太誇張。猜猜看，接著他又說了什麼呢？」康特沒有等傑利的回答就接著道：「他說，他們兩人花了很長時間的研究才得到諾貝爾獎。而你們只需要設計一個實驗就能夠實現……搞不清楚他倒底是在祝賀還是在挑釁。」

傑利又問：「克羅斯有沒有在實驗上提出什麼建議？」

康特立即回答道：「當然沒有。這次巡迴演講都沒有得到任何有價值的建議。他們所能提出的只是一些平凡常見的想法，就好像我從來沒有認眞思考過。我十分清楚癌變轉移，從一個器官到另一個器官，並非只是癌細胞的特徵。人體的天然防禦系統，淋巴細胞，也能進入其他的組織，但它起的作用是強身而不是致死。」康特不知不覺地就開始了演講。他又說：「不需要別人提示，我也知道，頻繁的細胞分裂並不都是惡性的。就說傷口癒合和胚胎發育吧，細胞也快速分裂，不同的是時間和場合。而且就這一點來說，我們甚至還不清楚這種細胞快速分裂的能力是否是所有腫瘤的通性，似乎有些腫瘤生長僅僅是因爲細胞沒有衰化，『克羅斯腫瘤』就是一個例子。」

傑利回憶起在他做研究生的第二年時，第一次作演講的情景。當時聽他匯報研究工作的不只來自康特組裡，還有來自全系各個實驗室的人員。演講完後，雖然沒有任何人哄笑，但得到稀落的掌聲，聽衆的哈欠聲，呆滯的表情以及昏昏欲睡的情景，至今還歷歷在目。那時，教授並沒有在公衆場合發難指責他，但事後把他叫進辦公室。「傑利米亞」，那時他還不叫他傑利：「你的報告眞是糟糕透了。你今天告訴聽衆的是你怎樣重複西部其他實驗室的工作，從海綿中提取磷酸脂，用於你的細胞膜研究。你怎能把你那些很有意義的實驗結果講得那麼的枯燥無味。傑利米亞，你應該學習怎樣激發聽衆，怎樣去說服別人相信你的工作是非常重要的。我當然不是要你有虛假的作爲，你只要表現出平時在實驗室裡談吐的風采與瀟灑就可以了。你不應該高估你的聽衆對海綿的瞭解，事實上許多人根本連海綿是一種動物都不知道呢。我雖不提倡用幻燈片，但你若能使用幾張我們的海綿標本在海底漂游的照片，會給你的演講增添幾分色彩。不要愁眉不展了，只要汲取這次的教訓，記住我所說的，以後你會表現得很好。」傑利從來也沒有忘記他所說的。

康特的眼睛一直盯著傑利身後的黑板，他清了清喉嚨道：「我知道你正在研究自己的課題。我從來沒有要求過你中途停止任何實驗過，但我現在有個新的要求。」他的兩眼仍然盯視著傑利身後的黑板。他的話語中斷了傑利的回憶。但是這小伙子沒有流露出任何反應，盡管他很尊重他的指導老師，但他總是頑強地守護著自己的陣地，不願隨便接受康特的擺布。「我已經想好了一個實驗，」康特慢慢地說，眼光仍停留在黑板上。「它可以使我的假設轉變爲能令衆人甚至克羅斯滿意的腫瘤發生理論。我從內心深處感到這個實驗一定會成功。我希望你明天馬上就開始這個實驗。」他快步跨到黑板邊，開始勾畫他在麻省劍橋希爾頓旅館下榻時寫在洗衣清單背後的實驗設想。這個實驗設計非常絕妙。只有具有雄厚化學基礎的細胞生物學家才有可能想得出這樣的主意。實驗同時涉及使用碳氫硫或更多不同的放射性同位素，加上非放射性同位素—13去標記蛋白質。這些放射性標記可以用來追踪蛋白質在細胞裡的位置，同時碳—13標記的精氨酸可以使我們利用核磁共振光譜來確定蛋白質中這個氨基酸的空間排列。

第四章

布蘭爾中學（Branner）是波特蘭市唯一的一所女子貴族高中，學校裡的拉丁文課上到了羅馬詩人奧維德（Ovid）和費吉爾（Virgil），數學課的教學也進階到了二年級的微積分。它是東部長春藤盟校在俄勒岡州（Oregon）招生必到之地。這個學校信奉體健者才能學優，要求每個學生必須練習一門以上的體育項目。

這也許是塞麗絲汀·布勒斯（Celestine Price）爲什麼在最後一學期中獻出了第一次的原因吧。事情發生在一個很難猜想到的時間——清晨六點十五分。對於游泳選手來說，每天必須練習三小時。爲了不影響上課，塞麗絲汀必須清晨六點游泳二小時，傍晚時再練一小時。通常，體育館的敎練都是女的，但是布蘭爾中學卻安排了一個男敎練格倫·拉遜來培訓四名將參加全國和大西洋運動競賽的游泳運動員。十一年前，他差一點被選入美國奧林匹克運動隊。現在，他是一個電腦程式設計師，同時兼任布蘭爾中學敎練。除增加額外的收入外，他可以有機會經常免費游泳。他那雄健的體魄在游泳池裡，格外地吸引著女孩們的注目。

游泳池裡常常發生許多惡作劇，除了塞麗絲汀，其他的女孩們都很喜歡藉機會碰碰格倫·拉遜那堅硬的身體肌肉。這並非是因爲塞麗絲汀全無少女的天性，而是她能自我控制。不僅是在性關係上，她極力控制自己，而且她在事業上更是精心安排。她遠比一般十七歲的女孩要成熟得多。

布勒斯家族來自俄勒岡州，以做木材生意起家，現在多數已成爲建築業巨頭。塞麗絲汀的爸爸曾是一位工程師，在塞麗絲汀剛滿十歲時就去世了。起初她打算繼承父志，母親完全贊成，並認爲塞麗絲汀應接受布蘭爾中學的嚴格訓練，並具備雄厚的拉丁文與數學的基礎。布勒斯夫人認爲學好拉丁文是涉世的起點，而數學則是進入科學與工程這個男性世界的敲門磚。然而，在塞麗絲汀的最後一個學年時，她決定改學化學。

塞麗絲汀對游泳訓練從不感厭煩。隨著她四肢的舒展，她的思路也就飄飄地進入夢境之中：接受最新科學發明的獎章；打破奧林匹克二百米自由式的紀錄；選擇如魚得水的性愛伴侶……。近來她起了這樣的念頭，也許年紀較大的男人要好些，尤其格倫·拉遜，他該是最好的人選。拉遜具有愛神阿多尼斯（Adonis）般的體魄，在他的肚臍下方紋有一朵花環，花莖剛剛好被游泳褲遮住。一天，他的游泳褲的褲頭不知何故下滑了一點，正巧被塞麗絲汀看到這個紋身的花環。她調侃道：「哦，你喜歡採花？」正是這個問題促使他決定利用這個機會冒著被解雇的危險。他調侃道：「塞麗絲汀，我認爲你應該加強蝶泳訓練。下個星期六早晨，我可以給你單獨上課。」

她慢慢地問道：「星期六早晨？什麼時間？」

「你決定吧。」

拉遜從未單獨訓練過學生，這次他眞是爲訓練著想呢，還是別有用意？塞麗絲汀瞅著小花紋，遲疑了幾秒鐘後回答道：「就按平常時間吧！星期六早上六點鐘沒人會打擾我們。順便問一句，這是風鈴草嗎？」

游泳池與更衣室在布蘭爾體育館旁邊的另一座樓裡。拉遜早早到達，打開大門，並迅速地更換好游泳褲。先快游了一下蛙泳，後改爲仰泳。正當他準備開始另一個來回時，他發現塞麗絲汀斜靠在教練的更衣室門口。她穿了一件長T恤衫，在胸口上印有：「女人位置就在頂端」——這是當時女孩們攀登羽冠山夏令營時使用的口號標誌。

「下來吧！」他向她游過去：「我一直在等你呢。」

她慢慢地走過去，與他同時到達池邊。她說：「我也在等你呢，我現在還沒有準備好。你能否先從水池裡出來？」

當他看到塞麗絲汀推開他的更衣室門走進去時，儘管身上的水珠還在不停地下滴著，但他已是口乾舌燥。等他走進來時，她正面對著他，手裡拿著一條浴巾。她邊把浴巾扔給他邊說，「你的房子眞小，只有一條長凳。」

當塞麗絲汀成爲全國拉丁文及數學競賽的最佳選手和游泳冠軍後，她可以任意挑選要上的大學了。她媽媽傾向於東部兩所具有雄厚科學師資條件的女子學校：布賴恩（Bryn Mawr）和霍利奧克山（Mount Holyoke）學院。但最後塞麗絲汀聽取她的化學老師的建議：「儘管霍利奧克山和布賴恩學院的化學本科教學非常優秀，但是，如果要從事眞正的科學研究，一般必須取得博士學位，且愈快愈好。如果想在一所一流大學裡找到學術工作，那就必須進入男人世界中去。達到這個目標的最好辦法是接著到兩所不同的大學裡跟兩位不同的導師做博士後。如果你眞如我想像的那樣優秀的話，當你將要開始找工作時，你就能有三位男教授在三所不同的大學裡推薦你。相信我的話，化學至今還是男人們的世界。」塞麗絲汀最後選擇了約翰·霍普金斯（John Hopkins）大學的碩士─博士學位，六年完成學習計畫。這令她的母親大吃一驚，當然不會令她的化學老師感到意外。

在約翰·霍普金斯大學的第二年時，塞麗絲汀選修了格雷姆·盧弗金（Graham Lufkin）教授上的「無脊椎動物的化學信息」講座。盧弗金是該領域的專家，上課講解特別仔細。在他講解費洛蒙怎樣影響著白蚊等級制度，他描述了白蚊皇后怎樣在經歷十年左右非凡的生育，產卵千萬個絕育死亡的過程。成群的工蚊團團圍著皇后舔食她，再也不像從前年輕時那樣親近她了。他們不斷地舔食，一直到她的軀體最後只剩下一張皮膚。有幾分羅曼蒂克的塞麗絲汀，對這堂課記憶深刻。

儘管塞麗絲汀主修的是化學，她對德國化學家布特南特（Butenandt）及其同事在一九五九年分離提取的第一個費洛蒙特別感興趣。當時這些科學家花了二十年的時間，耐心地收集解剖了近百萬個雌性蠶蛆，以瞭解這些性激素的化學結構。現在使用康乃爾（Cornell）大學化學家溫德爾·羅爾羅夫斯（Wendell Roelofs）發明的技術，只需幾百個昆蟲，就可在短短的幾周內鑑別一種外激素。羅爾羅夫斯將微電級接在昆蟲的觸角上，篩選那些能使昆蟲產生可測電信號的化學物質。只有那些異性的性激素，才產生強大信號。塞麗絲汀的面前展現了一個嶄新的世界：怎樣應用化學方法去解決生物問題。

在盧弗金講授的這門課程，塞麗絲汀得了A＋。收到成績後的兩天，她走進了盧弗金的辦公室。「布勒斯小姐，是來打聽你的成績嗎？」盧弗金非常認眞說：「你考得很好。」

塞麗絲汀回答道：「不是，我是來請你幫忙的。」

「說下去，」盧弗金挪動一下椅子靠近她，表明他的興趣被觸發了。

塞麗絲汀道：「我想自學一些昆蟲生物化學，你可以給些指點嗎？」

盧弗金的雙手捋著下巴，似乎在思考她的問題，其實他是在打量著塞麗絲汀的穿著：白白的夏裙，配上T恤和涼鞋，還有那碩長的大腿，健美的雙臂。塞麗絲汀由於沒有時間，已放棄了游泳。但她仍堅持體能鍛鍊，以保持她良好的身材。最後他終於回答說：「星期三在我辦公時間來一趟，我會給你一些參考資料。」

格雷姆·盧弗金是一位既風流又理智的人，他認爲教授與班上學生之間的性行爲並不妥當，但是與教過了的學生之間的關係如何，則沒有什麼可大驚小怪。他對「教過」的定義也很精確：當他批改完考卷，將成績單簽字送到註冊處後，他的學生就變成了「教過」的學生。

盧弗金信守諾言，兩天後，他交給塞麗絲汀一個文獻淸單，其中有：布拉克（Bloch）

關於昆蟲固醇代謝的工作；中西教授（Nakanishi）對於植物蛻皮素的分離提取，植物蛻皮素是一種昆蟲取自植物的蛻皮荷爾蒙，可能作爲一種防禦時的分泌物質，以及哈伯·羅爾（Herbert Röller）關於從昆蟲的幼蟲提取分離保幼素等等。盧弗金娓娓地講述這些專家的姓名及工作題目，使得塞麗絲汀興奮不已。以致都沒有聽出他在結尾時聲音的細微變化。「哦，我正巧多一張這個星期五在克雷諾斯四重奏表演的票，你願意與我一起去嗎？」

塞麗絲汀正在記錄最後一篇參考文獻。她說：「哦，我有一個姨媽也是室內音樂的演奏者，我很願意去。」

他們約好在音樂廳門口見面，盧弗金並沒有提及接送她的事。塞麗絲汀對於克雷諾斯（Kronos）專長的現代四重奏音樂瞭解不多，所以她很喜歡聽盧弗金的現場評述。他的話語低沉中充滿了知識，他的呼吸輕輕地吹入她的耳中引起一陣陣的顫抖。她聽說過菲利普·格拉斯，但沒聽說過特里·賴利（Terry Riley），艾爾費·施尼特克，甚至連該節目中的第四位作曲家阿爾本·貝爾格（Albanl Berg）也只聽人講起過他的聲名。「貝爾格的兩部最出名的歌劇作品是 *Wozzeck* 和 *Lulu*。你聽過嗎？」她沒有。他問塞麗絲汀看過歌劇嗎？當然沒有。「哦，你應該去看 *Lulu*。這個角色總使人相信有些女人眞能分泌費洛蒙。塞麗，這樣安排好不好？…」她沒有注意到他已開始改變了對她的稱呼和態度。「我住的地方離這裡只有十五分鐘，音樂會後到我家去喝杯咖啡，再放 *Lulu* 中的最後一場，傑克強姦謀殺 *Lulu* 給你聽。我還有包里茲（Boulex）指揮，泰瑞莎·施特羅斯（Teresa Stratas）主唱的最新唱片。」

塞麗絲汀到了他家，超現代的家俱，很多的書籍，有些甚至是她聽說過的名藝術家的作品，加上這位男人的風度與智慧，都讓她非常吃驚。一小時後，盧弗金開車送她回家。

幾個星期後的一個早上，他才打電話給她，「塞麗，我是盧弗金·格雷姆。沒有吵醒你吧？」得知她剛剛做完舉重，他問道：「舉重？難怪你有這麼優美的身材，你每天早上都練習嗎？」

她回答道：「除了早上八點有課以外。」

「你舉重時穿什麼顏色的緊身服？」

塞麗絲汀低頭看了看她那漂亮的雙乳，大顆汗珠正流向她的腹部。「哦，是肉色。」

「這個星期六到我家吃飯好嗎？我會做飯，也是個好主人。」

「我早已知道了。」她回答道。

「你會來嗎？」

「當然。」

格雷姆·盧弗金與塞麗絲汀·布勒斯之間的關係持續了近一年。在這期間，塞麗絲汀再沒有與其他的男人約會，盧弗金從未要求她只與他相好，她也不清楚他是否再與其他的女子在一起。在一起的時光都令她滿足，就像他第一次帶她去紐約欣賞音樂會那樣。她感覺到與他交往的質量無論在知識上還是在性生活上都遠超過她的其他男性伙伴。在霍普金斯大學第三年快結束時，她覺得可以開始博士研究了。

盧弗金與塞麗絲汀都認爲他們之間的性關係已限制了職業關係的發展。但這並不影響盧弗金提供一些選擇博士指導老師的參考意見。「我知道你系裡的人會這樣告訴你：跟一位著名的教授做。」他以粗啞的聲音自信地說道：「教授有錢，有較大的研究隊伍。通常從事好幾個不同課題的研究。」他的手指像把豎起的手槍指住塞麗絲汀，「一個剛開始的研究生就好像大池塘中的一條小魚。你不要打消跟年輕有爲還做實驗工作的副教授做的念頭。她很可能……」

「她？」

「對，是個女的，我已替你想好一個人——珍·阿德莉（Jean Ardley）。她雖然當副教授只有兩年，但底子雄厚，在布朗大學（Brown）跟隨一位女教授取得有機化學的博士，接著做了兩個博士後。」盧弗金恢復了他平常的教授樣子，充滿權威說：「首先她在沙克研究所顧立明實驗室裡（Salk Institute in Guillemin's lab）研究蛋白質。顧立明因其關於下丘腦激素的研究而分享了諾貝爾獎。然後，她在德州跟隨羅爾兩年。記得嗎？他是第一個發現保幼素的昆蟲生物家。」

「你怎麼對她這麼瞭解？我在系裡從來沒遇到過她。」

盧弗金聳聳雙肩道：「化學系是一個大系，我不知道她是否主講任何系的課程。」

塞麗絲汀兩眼充滿了疑問：「她也許是……。」

「塞麗！不要瞎猜。」盧弗金嚴肅道。

「對不起。」

「我認識她是因爲她找我討論過幾個學術問題。她正開創一個非常有意義的研究方向——這個研究正符合像你這樣對生物有濃厚興趣的化學研究者。」盧弗金接著道：「你還可以以她做榜樣，藉此機會瞭解她在當研究生期間的作爲，需要花出多大的代價，她的男性同事是怎樣對待她的。」他指了指自己又說：「現在大學化學系裡的女性不多，你不可能在做博士後時再找到一位女性的。」

塞麗絲汀向前靠了靠道：「你就是這樣尋找你的導師的嗎？是否也有人對你作了一個推銷報告……。」

「推銷報告？」盧弗金來回走了幾步道：「你認爲我這是在做推銷報告嗎？當我曾是一個初露頭角的研究生時，我眞希望有人能認眞地向我推薦給系裡的教授。可是沒有人這麼對我做，只好按常規：我四處張羅，與教授們見面，尋找一位看起來最理想的教授。問題是，在見面時，這些教授通常都表現得很得體，很少的學生意識到選擇博士導師是開始研究生生涯時最重要的一個決定。它就像一個孤兒尋找一個新的父親一樣……。」

「你怎麼不說『母親』呢？」「塞麗，你不要小看父親。況且，當我開始做博士時。我的系裡眞是一個母親也沒有。」

第五章

他們有半年多沒有見面了。在一個情意綿綿的早晨，早餐後，盧弗金裝著若無其事的樣子說道：「塞麗，親愛的，我認爲我們不應該再見面了，至少不是這個方式。」他雙手做了一個包圍手勢：「兩性之間的快樂交往開始變得複雜起來了。」

「複雜起來？」她很吃驚，「你的意思是？」

「我很快就會愛上你的。」

「那爲什麼會複雜呢？」

「我比你大三十歲呀！」

「準確地說，該是三十五歲吧！」

「對，塞麗，是三十五歲，簡單地說當你三十五歲的時候，我已是七十歲的老頭了。」

「別傻了，格雷姆，」她以前從未稱他爲格雷姆。「當我七十歲時，你正好是猥褻的一百零五歲。」

盧弗金跨過桌子吻了吻她的前額。「你眞是一顆明珠，你也許認爲我發瘋了。……你也許會很不高興，但你將會明白這是一個明智的決定。」

現在她正給他打電話：「格雷姆。」她說道：「我是塞麗絲汀，我想見見你。」

「塞麗？近來怎麼樣？」盧弗金的聲音非常低啞。

「工作很忙。」

「我當然很想再見你，只是……。」

塞麗絲汀打斷他的話道：「教授，我想約個時間在辦公室裡與你談談。」

塞麗絲汀來到辦公室坐下後，馬上說明來由。首先她提醒道，她聽從了他的建議，跟隨著珍·阿德莉做完了第一年的研究生。她的研究課題是分離與鑑定一種蟑螂激素，進展很好，盧弗金開始用中指輕敲桌子，這些他都已知道了。她這趟來的眞正動機是什麼呢？見到他已開始不耐煩起來，塞麗絲汀道出了她對學校傳聞的震驚，而對此傳言盧弗金還沒聽說過。她的導師接受了中西部大學的終生副教授職位，她是否應當中斷已進行了四年的學習而隨指導教師而去呢？

「我可以理解爲什麼珍要離開。」盧弗金沉思道：「僅在約翰·霍普金斯大學當了三年的助理教授，就在別處謀到了終生職位。這是一個不錯的差事，但是如果你隨她而去的話，就意味著退出霍普金斯大學的快速學制，而進入一般研究生的培養計畫。同時也意味著失去至少二年的時間，你願意這樣做嗎？」

「這就是我來找你的原因，只有你知道當初我為什麼選擇珍作為我的導師。你提的建議很好。但是如果要多花二年的時間，划算嗎？」

她找盧弗金商量事業上的去向一事，做得很聰明。因為他早不屬於化學系，所以不會為化學系失去一位優秀的研究生而惋惜。同時他們之間的私人關係也已在幾個月前結束了。

「你的研究課題確實很不錯。」他又說：「一旦她離開這裡後，你與珍·阿德莉相隔幾百里遠，如果你繼續在這裡進行課題研究的話，你馬上就會遇到困難的，我敢打賭，他們不可能再為你提供這裡的昆蟲設置服務。你該怎麼辦呢？難道要她每隔幾天向這裡郵寄新鮮的蟑螂？最後的結果，你只好轉跟一位新的論文指導老師重新開始另一個課題研究。到頭來一樣要花費外加的一、二年時間。塞麗，如果你跟珍的研究實驗成功，弄清了荷爾蒙的結構，如果……。」

「你的意思到底是什麼？」塞麗絲汀的臉上流露出熱切的渴望。

「我的意思是為了取得這個好課題的成功，多花一、二年的時間並不算浪費；特別是與一位還不太出名的教授一起合作發表。」

塞麗絲汀要的就是這句話。學期結束後，她收拾行李，跟隨珍·阿德莉轉學去了新的學校。

塞麗絲汀只是假裝在睡覺，其實她正在比較兩所大學所帶給她與男性打交道的經驗。格倫·拉遜不算在內，她對他始終不感興趣：當初在布蘭爾中學她失去貞操的事，她一直當做只是一項實驗，而不是羅曼史的插曲。而盧弗金則不同，更像一個導師。現在輪到了傑利·斯達福。塞麗絲汀不禁比較這兩人。她並不是不喜歡傑利用雙手撫摸她那如蛋殼般光滑的大腿，他只是還沒有學到像格雷姆·盧弗金的老練。盧弗金已是有多年經驗的終生生物教授，而傑利·斯達福僅僅只是一個博士，才剛剛擺脫宗教的壓制，儘管她相信傑利技術會進步。儘管這只是他們在一起的第二個晚上，她還不清楚能否幫他改掉做愛時不願發出聲音的習慣。他那童年時南部的宗教教育至今在他身上還根深柢固。即在性交前愛撫纏綿時他也盡量只用一個宗教詞語「它」來描述男、女的性生殖器官或性交；塞麗絲汀則不一樣，她受訓於格雷姆·盧弗金，非常偏愛於語言交流。她準確急切地指導傑利怎樣做，挑逗性地宣佈處置傑利的詳細步驟，高聲淫蕩地叫喊，又在最後看到傑利只會點頭同意這是一個絕妙的性交時啞然失笑。

「天啊，你知道現在幾點了嗎？」塞麗絲汀一下從床上跳下來，一把拉掉傑利的被單道：「已經八點四十分了。你十點鐘以前無法趕到實驗室。我也無時間運動了。」

傑利回答道：「今天早晨你已經做了很多運動了，趕快上床，把床單給我，今天早晨眞是冷。」

「不行，傑利。我得馬上去實驗室，剛運到一批蟑螂的心側體（Corpora Cardiaca）

必須將它們處理好。如果我不能及時將它們眞空、冷凍、乾燥好，珍會不高興的。」

「該死的心側體（Corpora Cardiaca）。」傑利惱怒地諷刺道：「我不知道這是個什麼鬼東西。我只要你的軀體。」

「傑利博士，我只有一個軀體。而蟑螂有兩個心側體，就是這個器官能分泌出我所需要的那個珍貴的荷爾蒙。你一點都不懂拉丁文嗎？」

在洗澡的時候。塞麗絲汀問道：「爲什麼你一下子有這麼多的空閒時間呢？我一直以爲你的教授要求很嚴。記得上次你在這裡的時候……」

「你是什麼意思，上一次？總共就這麼一次。我眞希望你沒有室友。」

「利亞（Leah Woodeson）又犯著你什麼了？她實在太好了，昨晚沒有回來睡。」

「也只有昨晚上。你以爲她會經常這樣做嗎？」傑利用肥皀擦洗塞麗絲汀的臀部。

「好舒服呀！」塞麗絲汀高興地叫道：「把肥皀給我，輪到我了……。」

他們互相擦乾對方，塞麗絲汀接著說：「眞的，爲什麼你突然有這麼多的時間？我一直以爲你去實驗室很早……，上次你告訴我你們細胞生物學的人總是忙得不可開交，手忙腳亂，是不是在騙我？」

塞麗絲汀是在化學系裡那次關於旋轉跟踪標記的學術報告上與傑利認識的。講演報告者是來自史丹福（Stanford）大學的哈登・麥克康奈爾（Harden McConnell）。他發明了穩定的自由基和電子自旋共振技術，在細胞膜的研究上非常有用。康特要求傑利掌握這個技術。

他與一般生物學家不一樣，從不把儀器當做生產數據的工具，他要求他的學生瞭解每部儀器設備的工作原理。傑利正好坐在塞麗絲汀·布勒斯的旁邊，他似乎對穩定有機自由基的性質一無所知。自從南加大學（U.S.C.）的第二學年學過有機化學後，他就沒有再摸過它，所以現在只好向他的鄰坐討教。塞麗絲汀馬上注意到他的大眼睛，但它們看來有點走神，就好像在同時觀看兩樣東西。那雙大眼睛與他那窄長的臉龐，大大的嘴唇相配，非常吸引人。

當晚，他們就在學生俱樂部裡喝咖啡和吃點心。兩天後，傑利就學會怎樣與塞麗絲汀做愛。與他過去僅有的一次性生活相比，眞是天壤之別。當時在南卡大學的經歷只是兩個從未上過陣的童男處女之間短促而笨拙的冒險，現在傑利眞的被迷住了。塞麗絲汀的第一感覺則是被迷惑的好感。她對傑利·斯達福的科學才智，強烈的科學研究的抱負印象很深，也被他的性生活上的天眞質樸所感動。她爲扮演教練這個新角色而興奮不已。

「I.C.在今天下午以前不會回來。他要在哈佛大學克羅斯那裡做一個學術報告。你知道克羅斯是誰嗎？」

塞麗絲汀搖頭道：「他是誰？」

「在我們這個學術領域裡，他是全美最具權威的人物。我感到奇怪的是爲什麼他至今還沒有獲得諾貝爾獎。已有一個腫瘤是以他命名的。」

「眞了不起，另一個腫瘤是什麼？」

「不要這樣講，這個腫瘤與潘頓·羅斯（Peyton Rous）的腫瘤一樣重要。」

「那個人又是誰呢？」塞麗絲汀尖刻地問道。她不喜歡常提及科學上的人名，尤其是那些她所不熟悉的名字。

「他得了諾貝爾獎，這下你該知道一個腫瘤的重要性了吧。不管怎麼樣，I.C.有一個關於腫瘤的新構想——蛋白質雙向運輸穿過細胞膜。這是他第一次走出去演講這個只在實驗室午餐時談論的課題。他好像對要在哈佛大學演講還有點緊張呢，——那個緊張的樣子我從未見過。這是一個很絕妙的假設，但我猜想他很想瞭解同行競爭者的態度。所以，他順道還要去見一些其他人，哈佛大學的本納塞拉夫（Benacerraf）和麻省理工學院的羅立亞（Luria）。他們都是他的朋友，並都獲得了諾貝爾獎。」

「爲什麼都與諾貝爾獎有關？」

「爲什麼？」斯達福辯護道：「可這都是事實，都得到了諾貝爾獎。」

「這我相信，我只是感到奇怪，爲什麼每次你提到一個人的名字時，都要提及諾貝爾獎呢？」

他們一直在穿衣，傑利正要穿鞋，他挺起腰桿面對塞麗絲汀說：「大概是因爲我們實驗室裡最近常談起它的原因，假如康特的構想——所有的癌症有一個共同的起因正確的話，他就可以獲得諾貝爾獎。不可置疑，這是一個『大膽』的假設。」

「傑利，聽我說，我對癌症知道得不多，可是你不認爲所有的腫瘤共有一個機理不太可能嗎？」

「是不太可能，但並不是絕對不可能。I.C.認爲都是由某個蛋白質的結構與組成的微妙變化所引起的。這就是『大膽』的由來，毫無疑問，他必須驗證這個假設，現在大家對此毫無辦法。我很慶幸，我沒有研究它，因我打不起這個賭。如果我想找到理想的工作，今年我必須多發表幾篇文章。」

「這個我理解，但是告訴我爲什麼你繼續跟同一個博士指導教授做博士後研究呢？你不認爲到別處去做博士後更有益嗎？」

「沒錯。但是I.C.不一樣，他可以擁有比現在的實驗室大三倍的研究人員——就像麻省理工學院或柏克萊大學裡的超級明星一樣。從國家健康研究中心（NIH）和美國癌症學會（American Cancer Society）裡獲得研究資金毫無問題。可是這位教授還在實驗室裡親手做實驗！請告訴我像他這樣有地位的人還有誰能夠這樣做呢？」

「珍·阿德莉幾乎每天在實驗室裡做研究工作。」

「珍·阿德莉？」

「對。珍·阿德莉。」她重複道。傑利注意到她的鼻樑上下起伏著。

「可是，塞麗。」他原想和解安慰一下，但事實上反倒弄得更糟。「阿德莉與I.C.不是一個層次的，她只是……」正要說：「只是一個年輕的女人。」但他改口說：「剛剛起步而已。」

第六章

「怎麼樣？」利亞問塞麗絲汀道。

「昨晚你沒有回來睡覺，眞是太好了。」

「答非所問。昨夜怎樣？這個人到底怎麼樣？」

「很不錯。」塞麗絲汀正在佈置餐桌。「今天我們準備了意大利的佛羅倫汀鷄，加上黃米飯；還準備了你最喜歡的櫻桃甘草冰淇淋。應該可以回報你昨晚的表現。」

利亞擁抱了一下她的室友。「沒什麼。你也知道我不是在修女院裡長大的。我也清楚你們這些搞科學的詞彙有限，你說他很不錯，但是個什麼樣的『不錯』呢？性交不錯？還是談吐不錯？還是其他不錯？」

塞麗絲汀嘴巴塞滿了食物，用手指了指窗口上花瓶中的花。

「我進門時沒發現，是他今天送給你的嗎？」利亞問道。

「看看卡片上寫些什麼。」

「你今晚眞是直截了當。」利亞邊說邊取下開過封的卡片信封。

「最可愛的塞麗：你眞是優雅又可愛，你有君主般的儀態，不變的紅艷，優美的貴族風度。我注意到你那清澈的眼神，快樂的言語和動人的身姿。清亮的喉嚨，精巧的下巴，質感的肌膚！結實圓滑的軀幹，標致的腰窩，勻稱的大腿，豐滿的乳房，有力的雙臂，頎長的手指，靈快的雙腳，薄薄的雙唇，細小的牙齒，狡猾的舌頭！難怪你叫塞麗絲汀。你什麼時候會再一次爲我打開大門？」

利亞邊讀邊竊笑，最後忍不住放聲大笑。

「你感覺怎樣？」塞麗絲汀小心地詢問道。「你難道不認爲非常動人嗎？」

「動人？眞是令人敬佩，貼切，而且……好笑。塞麗絲汀你不要誤解我，你確實有標致的腰窩。到底誰寫的？該不是傑利吧？」

塞麗絲汀點頭道：「是他寫的。」

「塞麗絲汀，只怕是抄襲的，不可能是他寫的。你告訴過我，他是一個生物學者，他們不會寫這樣的東西。事實上在二十世紀末的今天，再沒有人會寫這種信，相信我吧！」利亞將手臂搭在她朋友的肩上說：「聽起來當然動人，但是我敢打賭這是抄來的。你看看這裡，她指出『你有君主般的儀態』……『不變的紅豔』，至少是幾百年以前的。事實上，現在我又讀了一遍，我收回我所說的。算他沒有剽竊，只是借用。他一定是從英國詩人諾頓的詩裡抄了一些，其餘的是從辭典裡找來的。『精巧的下巴』和『質感的肌膚』與『不變的紅艷』，放在一起，聽起來不太對勁。你一定要好好問問他。」

塞麗絲汀搖搖頭說：「下次他來時，你自己問他好了。」她的臉上掠過一絲笑容問：「理查德給你寫過情書嗎？」

「沒有，他屬於善用言語表達的人。」

「我打賭他不敢寫任何東西給你，萬一你把他解構的筋骨畢現呢。知道了你是一個拿手的解構專家，我也不敢。」

「解構主義專家？塞麗絲汀，你認識我之前還不知道這個詞的意思吧！」

十天以後，利亞穿著浴衣盤腿坐在小客廳裡唯一的一張安樂椅上，邊看書，邊喝著第三杯咖啡。當聽到開門的聲音，她抬頭望了望。「布勒斯小姐，清晨九點三十分溜進家門？科學上衝鋒陷陣的拚勁那兒去了？」

「正要衝到床上去，我累死了。」當她繞過利亞的椅子時，塞麗絲汀從她朋友的肩膀往下瞧了瞧：「你在看什麼？」

利亞舉起《倫敦圖書綜述》（*London Review of Books*）說：「米屈爾（Mitchell）寫的一篇關於批評主義的黃金時代的文章。也許你還不清楚，黃金時代，就是指當代，而我所研究的對話主義就是當代的前沿課題。我想看看這文學評論家是怎樣闡述的。」她把打開的書塞到塞麗絲汀面前：「實驗主義與追求嶄新的，從未嘗試過的奇異或謬誤的事物有關連。講得不錯吧？昨晚又怎麼樣？是奇異呢？還是謬誤？」

「也好，我正想與你談談。」

「眞的？」利亞流露出淫亂的媚眼。「終於可以談一談了。只要一涉及性生活，你總是那樣神秘，我全神傾聽。」

「利亞，不要開玩笑了，我很認眞。昨晚上，傑利問我是否願意與他住在一起。」

「你又是怎樣回答的呢？」

「我說我要好好想一下。」

「你眞的考慮與他同居？」

「沒錯，我是這樣想的。」停頓了一下，塞麗絲汀接著說：「他是一個很不錯的人，很誠實。他告訴我說他愛上我了。再加上傑利的建議是對的，我們現階段的實驗都必須拚命才行：他的教授康特交給他一個十萬火急的保密課題。而我和珍馬上進入我們研究中最困難的階段。他認爲有一個穩定的關係對兩者都有好處。」說完後塞麗絲汀陷入了沉默；當她再一次抬頭面對利亞的臉龐時，問道：「怎麼辦？」

「那誰來教你貝克丁（**Bakhtin**）的理論？」塞麗絲汀擁抱了一下她的朋友。「是呀，誰還會？要是我在實驗室裡提到貝克丁，同事們可能會問我『他在那個雜誌上發表文章？』在沒有認識你以前，我一點也不懂你傳播談論的貝克丁，還有相關的符號學，對話主義，後結構等等其他華麗深奧的主義。我當然會失去這些，尤其是你——利亞。」她再一次擁抱利亞。

「那麼你已下定決心了？」

塞麗絲汀點頭道：「是的。只是我還沒有告訴傑利。」

「塞麗，爲什麼你不能兩全其美呢？」

「你的意思？」

「你可曾想要他搬來與我們一起住？」

「沒有。」塞麗絲汀面帶困惑道：「你不介意？」

「理論上，不。你只要弄一張雙人床來，而我也可以省點房租。但是，首先我要先跟他面試。」

當傑利送的那張夾在花上的卡片被徹底分析解剖時，見面最後變得很熱鬧。他承認他給塞麗的那首詩來自於文藝復興時期的《娼妓的生命》（*Life of the Courtesans*）中的一封情書，還出示了原作。他只是改變了一些形容詞。

「塞麗，」，利亞笑道，念著其中「你知道嗎，在文藝復興時期你像『羅馬教皇』一樣的永恆，你的肉體是『奇異的』。」她轉向斯達福面帶挑戰地逗問道：「你又怎麼會看《娼妓的生命》？」

「我是在書店買艾略特的詩集時無意翻到的。」他舉手制止她打斷他的說話：「你要問『爲什麼讀艾略特的詩？』是康特教授要我讀的。」

「我還有個疑問。」

「好了，好了。你一定是要問爲什麼康特建議我購買艾略特的詩集，對嗎？」

「當然。就算我不是文學評論者，我也會好奇，爲什麼一位生物學家要另一個同行去讀艾略特的詩集。」

「當教授第一次談到腫癌起因概論時，他引用了這樣一段話，至今我還記憶猶新：『我們有了經驗但失去了意義，探討意義可重建經驗……』。事後我問他，這句引言出自什麼地方，他說是艾略特的〈四重奏〉詩。他說這首詩詞，就像是一部小聖經那樣，從中可以發掘出很多不同的意義。

「你還記得來自那個章節？」利亞問道。

「〈荒原〉。」，他得意地回答，然後用手碰了碰塞麗絲汀：「塞麗，艾略特也獲得了諾貝爾獎。」

第七章

「毋須追逐——只要等待。」康特記不得誰第一次這樣談論諾貝爾獎。但他不理解爲什麼我們應該表現得像渴望成爲新娘的少女?爲什麼諾貝爾獎的候選人們總是在公共場合下顯得天眞無邪，從不自我標榜自己夠得上資格。

康特教授心裡很明白，他是夠得上諾貝爾獎的資格的。最近幾個月，他心中一直在思索著這個問題。時機至關重要，如果他眞有可能拿到諾貝爾獎的話，那麼應該就在這三、四年，這正是他的學術研究正走紅的時候。近來，生物細胞學中每個分支研究進展的速度令人目眩，幾年前認爲是絕妙無比的成果，今天已是常規的實驗方法，基因工程學就是一個例子。有多少剛入學的研究生還能夠記得第一次做出核糖核酸（DNA）重組實驗，卻沒能獲得諾貝爾獎的那兩位科學家的名字?就像攀登高峰，這兩個人將旗幟插到峰頂，找到了正在修建的滑雪基地。

然而，在癌症領域裡最廣爲接受的癌症起源論別稱爲珠穆朗瑪峰或簡稱爲K-2。世上只有超級明星才有這個膽量來攀登這個高峰。他們甚至不得不藉用助手和嚮導。康特就是這樣一個超級明星，而斯達福就是他的助手和嚮導。人們常將科學研究與爬山類比，是因爲它們確實類似，所以人們也泛濫地使用。但它們相似的另一方面，常被人們忽視：為了達到目的，爬山者經常包抄捷徑，甚至不得不迴避那些特別險惡的障礙。在癌症領域裡衝殺多年的康特就深有體會。然而有時攀登者會發現一條從未被人探索過的途徑，看起來能引著他直奔峰頂。這發現所帶來的喜樂，儘管很短——因爲接著的必定是眞正艱難的奮鬥——卻很可能是很令人興奮的。

在很多方面，康特與那些擁有十幾個諾貝爾獎得主的名校中的名師們不可混爲一談。他所在的中西部大學裡，只出過一個諾貝爾獎得主，而且那還是一九三〇年的事。五十年後的今天，如果康特眞獲得諾貝爾獎的話，意義眞是非同凡響。倘若在哈佛或柏克萊這種每幾年就能出個諾貝爾獎得主的大學，就不會這麼轟動。按照常人的眼光來看，儘管康特也有一個不小的課題研究小組，但與那些哈佛、柏克萊大學的實驗室相比就小得多了。那些實驗室裡的人多達三十幾個，大多數人只被用作數據收集器而已。那些超級實驗室的頭頭們主要充當研究資金籌款人的角色和重要學術報告會議的報告者，自己不再做任何實驗。康特就不同，就在他辦公室的隔壁，他有自己的實驗室，更難能可貴的是他眞能做到在實驗室裡面花一定的時間。有時他偶爾自豪地說道：「只要花一點時間，可以使我眞正體會充實的快樂。」當然，康特也常到世界各地旅行，也喜歡向他的合作者和學生們報告他研究小組的最新進展，與那些把實驗室控制得像美國中央情報局一樣的頭頭們不同，他從不擔心別人搶先報導。難怪像斯達福這樣脫穎而出的研究生，都爭著來這個實驗室工作。通常，康特對於他最得意的弟子，都儘量讓其感到舒服和隨意。那種隨意對於康特這樣一個非常一本正經的人來說，已是盡力而爲了。

斯達福留意到康特在黑板上構畫他的實驗計畫時，有點不同於往常。教授講完話後，斯達福也在他的大腿上做完了筆記。教授身著白色工作服——這是那些超級明星們（不包括在醫院裡頭）所不能分享的一種鍾愛。他回到了他的書桌邊後，開始玩起迴紋針來，一個連一個，接成一條長鏈子。直到有一個手鐲長度時，他才抬起頭叫道：「傑利，」又止住了，將手鐲加長到一條項鏈那麼長時，才接著說：「我對你的要求也許會令你吃驚。我不允許你與任何其他人談論這個課題，就是在我們自己的實驗室裡也不例外。傑利，你一定明白我爲什麼不讓你講出去吧。」康特身體向前傾了傾，似乎有點懇求的意思。懸在手中的迴紋針有點微微地顫抖。「這是個不同於一般的實驗假設：對於一般的假設，如果行不通，我們可以試一試這一個，如果可以的話，我們就接著做那一個。而這個課題是——」他指了指黑板，「一定要取得成功，而且這個實驗一旦做成了，就是做完了。」——康特用手把住書桌邊緣——「這個實驗將載入所有的教科書，這可是畢生難逢的工作啊。瞧你多幸運才二十八歲，而我呢……。」

康特的聲音逐漸變小，目光緊盯著他的年輕助手，滿溢著熱切的希望還有一絲的妒嫉。在實驗技術與毅力方面，斯達福絕對是出類拔萃的，按理來說，他是值得被給予這樣一個機會的。這是一個多麼不同凡響的機會呀，如果在他二十八歲的時候也有這樣的機會該多好！

他心中納悶，他以前的老教授如果在這種情況下是否也會重用他。大概不可能。但斯達福與他所帶的學生相比就是不一樣。在過去的兩年裡，傑利已變成他年輕時的替身。康特恢復了常態，聲音又變回到平常工作的口氣。「傑利。你清楚我們在下什麼賭注，你必須放下手中的任何事情。馬上開始這個實驗。三個月內必須完成它。最好現在就去圖書館——查看還有誰應用過麥達（Maeda）技術。這是個常規的差示密度——梯度離心分離技術，但藉用交替使用逐步和連續的梯度的竅門。這技術對你給細胞膜裡的蛋白質定位一定很有用。如果我是你的話，先從《文獻索引》（*Citation Index*）著手。你眞得感謝上帝，當我在你這麼大的時候，只有《醫藥索引》和《化學摘要》可以參考。」

這倒眞是個事實，《文獻索引》帶來了不少的方便。與所有的其他目錄工具書不同，它不是往回檢索文獻，而是往前檢索。麥達技術是在一九八三年發表的。那麼《文獻索引》會列出自一九八三年以來所有發表過同時引用過麥達這篇論文的文章，這樣可使斯達福很快找到使用該方法的其他研究者，節省傑利很多時間，康特當然也清楚，傑利也知道。康特猜到這位年輕人也許又會爲他重提這些常識舊事有些不耐煩，儘管如此他就是改變不了回顧過去的研究是如何不易的習慣。

「I.C.，我眞的難以想像你是怎麼過來的。」傑利回答道，但立即又後悔自己不該這樣容易顯露出不耐煩。他接著說：「這確實是一個不同一般的實驗。我只是希望不要令你失望。」

第八章

塞麗絲汀將鬧鐘調在早上六點五十五分。昨晚上等斯達福等到深夜，而他一直沒回來。七點差五分時，她轉了個身子，看見他正在熟睡。「快醒來，你竟然偷偷地回來了。」她親暱低語道：「你答應的正常性生活那裡去了？」

斯達福幾乎沒有絲毫的反應，「哎，醒醒。」她用力搖搖他。「你今天早上不用去實驗室嗎？」

沒有聽到任何回應，她坐了起來。「好吧，讓你再睡一會兒，我要去運動了。待會再說。」

七點三十分，塞麗絲汀渾身是汗，回到床邊，斯達福還在沉睡，她用手擦了擦自己濕透了的身軀，掀掉被單，用濕滑的雙手去按摩傑利。

「傑利，昨夜你到那裡去了？」在一起淋浴時，她問道。他顯然還沒有完全睡醒：雙眼浮腫，沒有理會她。

「我等到快一點，後來就支撐不住了。」

「我三點才從實驗室回來。」

「凌晨三點？到底幹什麼了？在儲藏室裡跟誰亂搞？」

「塞麗，不要這樣。這些天來我疲勞不堪，對這事沒有興趣。」

她用肥皂擦了擦他那鬆軟的生殖器官。「你到底是怎麼回事？」

當斯達福還在拚命攀登的時候，塞麗絲汀·布勒斯已可以慶祝了。她已取得第一個重要的成果：測定出了蟑螂神經激素（neurohormone allatostatin）蛋白質的全部氨基酸順序，這是發明控制昆蟲新方法的不可缺少的一環。在早餐時，她向利亞解釋道：「蟑螂激素就好像一條由二十種寶石組成的有六十四個珠珠的項鏈，在你再做另一條項鏈之前，你必須弄清楚這些寶石的排列順序。我就剛剛做完了這一步。」

「有那麼困難嗎？」利亞問道。

「文字上聽起來是不難。現在有很多種不同的技術可解決這個順序難題。譬如說我們可以使用氨基酸分析儀：這種儀器先自動地切下一個氨基酸，也像項鏈上的一個珠珠一樣，然後試圖分析辨識這個氨基酸。也可以使用我用的技術：那就是先利用酶分步切除，再使用高分辨能力的質譜儀。」塞麗絲汀取了枝鉛筆把縐摺的餐巾紙抹平，第一筆她先畫了一個圓圈，然後在圓圈上加畫了一些小圓圈，以此模仿項鏈。「酶可以將六十四顆寶石珠子的鏈條切成較小的幾段」——她用鉛筆劃開了一下鏈子，以示意被酶切除了的部分——「然後就可以用質譜儀進行分析。只需要很少的一點點，微微克的重量就夠了。利用這個儀器我不但可以得知每一個氨基酸中不同的原子的數目，還可以瞭解該酸的結構；這些原子是怎樣排列的。最後一步是確定這些被切斷的各部分在項鏈中的排列。我剛剛完成這一大步。」——她在餐紙上劃了三個驚嘆號——「這也是我邀請珍·阿德莉星期四晚上來晚餐的原因。」

四個人的聚會最後變成只有三人參加。斯達福在最後時打電話回來。「塞麗，不要等我。我還不能離開，實驗才做了一半。我趕在喝咖啡時回來。」儘管他滿懷歉意，塞麗絲汀還是「呯」地一聲掛了電話。

爲了恢復常態，她打開了廚房裡的酒喝了一口，口腔裡頓時滿溢著單寧酸的味道。酒店的夥計向她建議過：喝之前，最好將這紅酒先打開透透氣。現在她的情緒就如這苦澀的酒味一樣。見塞麗絲汀端著酒瓶和只有三個酒杯的盤子走進客廳。阿德莉教授問道：「斯達福博士在哪兒？我很想見見那位追到我最得意的合作者的男人。」

「『追到』不是一個恰當的詞語，阿德莉教授。沒有誰能追到塞麗絲汀·布勒斯。塞麗向來是我行我素的。」利亞接道。今晚她特地穿上寬鬆短裙配上新燙的襯衣和平底便鞋，一如反常穿的牛仔裝和運動鞋。

這個女教授笑了笑，「當初也絕對不是我說服一個約翰·霍普金斯大學化學系的頂尖學生從她的博士快車上跳了下來。是她自己決定跟隨我轉到了這裡。儘管如此，塞麗，你的抉擇很正確，對不對？哦，」——她轉過頭對利亞說：「就叫我珍吧。只有大學的學生稱我阿德莉教授。」

「那好。」利亞回答道。「珍，請坐到餐桌邊來。」

珍·阿德莉個子不高，但相當豐滿的女人。她喜歡穿長褲，因爲在實驗室裡較爲方便些，也喜歡穿半高跟的鞋子。今晚她身穿一條裁剪得筆挺的黑褲，加上一件黑絲綢上衣，把她褐色的頭髮反襯成了金黃色。在工作的時候，她常將頭髮一把紮在腦後，或緊梳在頭頂上。在像上課這樣較正式的場合，她則喜歡將頭髮披在雙肩上。她那藍色的眼睛和多變的臉龐是她的特徵。她唯一的裝飾，就是藍色的眼影，加上長長的耳環；她的手指上不戴任何戒指。

三位女人吃完以後，利亞從廚房裡端來一壺咖啡，問道：「珍，我想你不會介意我問你這個問題。你肯定有三十四、五歲了。你到底多大年紀？」

「三十四歲。你爲什麼問這個問題？」

「每一位希望從事學術研究的女人都常面臨這樣的問題：怎樣又做教授，又做母親。看起來，至少我認爲，三十四歲的你已是很成功了。你已得到了終生職位。所以我的問題是：『你打算生孩子嗎？』」

「珍，我從來沒有這個勇氣問你這個問題。」塞麗補充道，「但我也一直在納悶。也好就讓利亞來問問這個問題吧。」

珍·阿德莉看了看這兩位雙眼緊緊注視著她的年輕人，她回答道。「我並不在意，我有十年的時間想要孩子。但去年我結紮了。」

一陣時間的沉默，利亞才又開口說道：「我知道這事與我無關……」

「往下說。」

「但爲什麼要去結紮？不可以使用……。」

「避孕藥？我已吃了十八年了。你可以看出，我發育成熟得很早。雖然我不抽菸，我還是覺得不應該再吃了。儘管我還可以改用其他的避孕方法比如說使用避孕套。但最後我決定，爲了追求事業上的理想，我不可能做母親。」

「爲什麼不讓你的丈夫做節紮手術？」利亞問道。

「爲什麼要他做？是我自己決定不要小孩的，不是他。很多事情總是說不準的。也許二十年後他會再婚，那時他還可以要孩子……」

「我不瞭解你這種對事業的企圖心，」利亞打斷道。「你已經拿到終生職位了，爲什麼不要孩子？」

「關於終生職位，你是對的。我沒拿到終生職位之前是根本不可能生小孩的。就化學或者大多數實驗科學來說吧，至少在強調科學研究的大學裡，你不可能在做副教授的六年裡又做母親又取得終生職位。我的男性同行們一周至少工作八十小時以上。難怪不少已經結婚的人，婚姻還是破裂了，除非他們與一個在同一領域工作的教授結婚。」塞麗絲汀插嘴補充道。

「那他們還要靠上帝保佑能夠在同一所或相隔很近的大學裡找到工作，」阿德莉說。「當然，你可能很幸運地找到一個像我的丈夫那樣工作。不需固定上班時間的男人。但我還是要再次強調這個問題：帶著孩子去爭取終生職位，不是不可能，只是很困難。也許幹你那行要容易一些。」她轉向利亞道：「因爲你可以在家裡做一些研究。但如果你必須要去實驗室呢？」她聳了聳雙肩。「如今，職位評審委員會確實應該考慮懷孕這個問題，但其中的絕大多數成員都是男性——老頭子們。他們儘管通曉性別歧視的法律常識，但他們對事實一無所知。你知道嗎，沒有一家美國一流大學的化學系主任是女的。只有哥倫比亞大學著名的吳健雄女士這個例外，物理系的情況也會是一個樣。你不覺得可笑嗎，人們常稱她『吳女士』而不是按常規稱她爲『吳教授』吧，好像她是在經營一家妓女院。」阿德莉順手端起她的咖啡杯。

「珍，你的咖啡已經涼了。我給你再拿一杯來。」塞麗絲汀主動提出道。

「但你已經獲得終生職位了，而且還相當快。你不認爲現在要小孩要容易得多了嗎？」利亞注意到。

「這就是我只在霍普金斯待了三年就轉到這裡的原因。他們授給我終生職位後，我原以爲這下可以一個接著一個地生小孩，他們也不可能把我怎樣。但是，塞麗絲汀就可以告訴你，」——她轉頭向廚房的方向看了看，「實際情況與想像的很不一樣。現在我的全組人員正集中精力研究一個很令人興奮的領域——無脊椎動物的神經肽的化學性質。儘管我現在已有五個研究生加上二個博士後幫忙，我竟比以往工作得更加努力。我不淸楚你學的專業是否也這樣。我想不會相同，英語文學一定很不一樣……」

「文學評論，」塞麗絲汀剛端來新的咖啡，糾正道：「確切地說是文學對話（dialogism）。」

「對話？」

「珍，我待會再解釋。」利亞主動提出。「現在繼續講完你的部份。」

就在這時候，門打開了，斯達福走了進來。

「眞對不起，」他大聲說道，一邊喘著氣就好像剛跑上三組台階。「阿德莉教授，我是傑利·斯達福。」他邊說邊走向餐桌。「我一直想謝謝你。如果不是因爲你，我不可能與塞麗相識。天哪，餓死人了。有什麼剩的可以給我吃嗎？」

塞麗絲汀跟他走進了廚房。「傑利，你眞是該死。」她小聲說道：「我知道在實驗室拚命幹活是怎麼回事，但今晚你爲什麼不能趕回來一起吃晚飯？你明知道今天很特別，珍第一次來此；再加上——」她抓住他的雙肩——「是爲我慶祝蟑螂激素結構分析的成果嘛。」

斯達福安慰她道：「塞麗，我已說過對不起。你不知道I.C.在我身上施加了多大的壓力。現在他每天追著詢問實驗是怎樣做的，做到那一步了，什麼時候可以完成等等。不是『假設』可以成功，而是什麼時間做成功。我實在走不開……」

「哎，你們兩個怎麼回事？」利亞探頭進廚房道。

阿德莉和利亞移身坐到沙發裡；塞麗絲汀坐在安樂椅上仍在生著氣。斯達福則坐在餐桌邊狼吞虎嚥吃剩下的飯菜。阿德莉朝他說道：「我剛剛一直在向我們這位文學評論家解釋塞麗剛剛完成了怎樣一項優秀的工作。這不僅僅是測定蛋白質順序，更不易的是首先分離了足夠的蟑螂激素。爲此，我們整整花了一年的時間。要知道，每做完一步分離都要用一個複雜的生物分析法去檢測。」

「蟑螂激素到底有什麼用途？」利亞問道。

「是指對蟑螂呢？還是對我們？」阿德莉問道。

「兩方面。」

「那麼我先從蟑螂談起：蟑螂激素會對負責分泌保幼素荷爾蒙的腺體發出信息，叫它在適當的時候停止分泌。哈伯·羅爾在六〇年代就發現了這種激素。我曾跟他做過一段時間的博士後研究，此荷爾蒙控制所有昆蟲幼蟲期特徵的發展和維持。當昆蟲快要發育成熟時，必須停止分泌保幼素，而蟑螂激素就是提供這樣的信息。哎，我這個關於無脊椎動物的內分泌學的描述怎麼樣？」她向她的聽衆笑了笑。

「這對昆蟲很有益處，否則它們就無法長大和繁殖後代。對蟑螂的不利之處就是我們要利用蟑螂激素來消滅蟑螂。通過使用一些新的基因工程技術，我們準備將蟑螂激素的基因剪接（clone）到一個病毒基因裡去，然後這個病毒就可變爲生產這個長達六十四個氨基酸鏈的激素的獨立工廠。針對不同的昆蟲，我們選擇不同的病毒，以保證對人及其他生物都沒有害處。病毒不斷地在昆蟲體內產生蟑螂激素以干擾昆蟲的荷爾蒙平衡，到一定程度後就會引起昆蟲早死和不生育。」她揮動雙手，就像拳擊裁判在示意一技術性出擊一樣。「如果這個設想成功，我們就開闢了一個新的蟲害防治途徑，不再需要殺蟲劑了。」

「至於蟑螂激素能給我們帶來的好處嘛，對塞麗的好處是可以成爲她博士論文的主要部分，對我來說，我將因此更加出名。」她向塞麗絲汀做了一個鬼臉。

斯達福的注意力逐漸增加：「塞麗，你從未提及你在蟑螂激素研究中應用病毒方面的部分。這個主意眞妙。」

「哦，我們還沒有做到那一步呢！」塞麗絲汀答覆道。「而且，你也保密到家，沒有告訴我你近幾個月來做些什麼。」她告訴阿德莉說。「他甚至不告訴實驗室裡其他的人。」

「哎，倒說說看，」她的教授說。「斯達福博士，這是眞的嗎？」

斯達福面帶窘迫低聲回答：「康特教授要我別講出去。」

她依然問道：「他爲什麼這樣做？是否你們組裡常常將工作列爲保密？」

「不！教授以前從未這樣做過，他常說『如果擔心被人偷竊去，做研究的樂趣便已失去了一半』。」

「你現在做的不就是這樣嗎？」

「不錯，但這次不同。」他抬頭掃視了一下房間。「你打算何時發表塞麗的結果？不是說競爭得很厲害嗎？」

「這倒是眞的，我已聽說波拉阿多市（Palo Alto）的雪萊的實驗室已快做到這一步。不過我們下周末就能寫完文章，然後送交到 *PNAS*。」

「誰爲你遞交這篇文章？」

「我想最好請拉荷拉市（La Jolla）的羅傑·顧立明（Roger Guillemin）。」

「爲什麼請顧立明？」斯達福問道。「一定要找一個諾貝爾獎獲得者來爲你遞交這篇文章嗎？」

「當然不需要，只是我與他很熟悉。我的第一個博士後研究就是跟他做的，多肽激素的研究是他的專長。」

「那你爲什麼不選擇附近的人，至少可以節省一些時間。爲什麼不選康特教授？」

「我從未想到他，因爲他研究的不是我們這個領域。加上我從未見過他。但我猜想他會答應的。如果他知道是你女朋友的工作，難道他會拒絕嗎？」

斯達福臉紅了。「他一點都不知道，塞麗。」

「你從來都沒有跟他談論過我們的事？」塞麗絲汀很吃驚，「他不知道我們住在一起？」

斯達福搖搖頭。「爲什麼他應該知道？他從未與我們談及他的私事，爲什麼我要與他談論我自己的私事？」

「慢著！」利亞等不及了。「在你們改變換話題之前，告訴我什麼是PNAS？」

「《美國國家科學院彙刊》（*Proceedings of the National Academy of Science*），」斯達福答道，「我以爲這是衆所周知的。這是我們領域裡最有權威的期刊。」

「好了，我已弄淸楚細節了。」她不理睬斯達福而轉向阿德莉——「你能不能解釋一下爲什麼你需要請人遞交文章到PNAS。如果我想在我的領域裡發表文章，譬如說像這些文學批評期刊《批評探究》（*Critical Inquiry*），《符號學》（*Semiotica*），《文學診斷》（*Diacritics*），我自己遞交就是了。我——不需要我的教授，更不用那些與我的研究無關的代理人。在你回答之前，我再問你一個問題：爲什麼你要與塞麗一起發表她的工作結果？」

利亞一點也不掩飾自己——無論是社交還是裝束衣著。當斯達福搬進來的當天，她就告誡他：「你得學著接受我，一個不加修飾的我。」她從不花工夫修飾眼睫毛，塗口紅。儘管稍稍這樣做可以使她近乎完美的薄唇生色不少。她也從不刮剃腋下毛，或用化妝品掩蓋臉上的雀斑。她的雀斑多數散布在臉頰的上端，這個特徵很特別。當她情緒激動時，雀斑就會冒出來，與她那麥色的頭髮相映照。現在她的雀斑就冒出來了。

「爲什麼要在文章上署上你的名字？」她步步緊逼。「難道所有的工作不都是塞麗完成的嗎？我的指導老師建議我博士論文的課題，但她將不會在我的文章上署名。爲什麼搞科學研究的人要這樣做？爲什麼發表文章時是阿德莉和布勒斯；康特與斯達福……或換個順序？」她向後靠了一靠，先掃視了一眼阿德莉，然後挨個地打量著其他人。

斯達福仍然保持沉默，但他非常高興這個突然轉向的話題。「利亞，」塞麗絲汀不高興道：「你到底怎麼回事？聽起來好像珍在掠奪我的功勞，……」

「塞麗，等一下。」阿德莉的語氣裡帶有幾分尖銳。「讓我來回答。先回答這幾個重要的問題。誰該在蟑螂激素的文章或斯達福那個神秘的研究工作的文章上署名？署名的先後順序是什麼?這都是很重要的問題。這只怕是科學界最傷人的東西，特別是先後順序的問題。」

「利亞，」她伸手碰了碰利亞以提示注意，「是我提出的研究課題——。」

「我的指導老師也爲我建議了研究課題。」利亞插嘴道。

「請讓我講完。我從我的研究資金裡提供了設備，支付了塞麗的獎學金。在向『國家健康研究中心』申請研究資金時，我要詳細地列出我的研究小組會做些什麼工作，爲什麼這些工作是重要的，早期的貢獻是什麼，以及許多其他相關的材料。我的申請報告要經過專門委員會鑑定，這個組織審批成百個的申請案件，最終有四分之一的申請能得到資助。沒有這方面的支持，塞麗什麼也不可能做出來。我不僅僅是指她的獎學金，還有實驗室裡的儀器設備，化學試劑，玻璃器皿等等。基本上你自己獨立從事研究——既是設計者，也是建造者。你甚至可以在家裡做許多研究工作。你所需的僅僅是一個圖書館的借書證，這個不需你的指導教授來提供，你需要的最多不過是紙張和鉛筆……。」

「哎!現代的人文學主義者也要使用電腦。」

「對不起。但是即使是電腦也不是你的教授提供的。你用的可能是系裡的，或者更可能是你自己買的。你的那台到底從那裡弄來的?」

「我媽媽買的。」

「這就對了。而塞麗用的電腦來自我的研究資金。進一步說，我與塞麗每天要會面，討論工作的進展；我建議一定的實驗技術；提示留意有關的重要文獻。實驗室裡還有一些其他同事與塞麗研究類似的課題，塞麗多與他們打交道。而學社會科學的絕對不是這樣的。我敢打賭，你根本幾個星期都不見你的論文指導導師。」

「我爲什麼要見她？基本上我自己獨立從事研究。」

「你當然是自己獨立做文章。」阿德莉點頭道。「你不需要學習新的技術，新的方法……，你只要能夠閱讀就行了。加上能夠文字處理。利亞，請原諒我的防禦性態度。在實驗科學領域裡，師徒關係和同事性質是教授爲什麼在文章上署名的通常依據。事實上，我們研究領域裡的大多數人，塞麗也在內——會認爲我應是主要作者。儘管有些老資格的研究者認爲他們的名字一定要排在第一位，但我並不這樣認爲，也有些人按字母順序……」

「特別是當那些人的名字排在字母表前部的時候！譬如說A和C！」斯達福的奪口而出嚇了塞麗一跳。

「傑利，你太武斷了！在與學生一起發表文章時，珍總是排名在後。」

「噢，我們實驗室裡就不是這樣。」他低咕道，「從來就是按字母順序。」這確實是康特實驗小組裡唯一讓人爭議的東西。實驗室裡傳說從來沒有姓阿倫（Alan）或布朗（Brown）的跟康特做過。在去年多格·卡特非德（Doug Catfield）加入實驗室之前，似乎就只有一個叫斯萊尼（Cxerdy）的來自布拉格市，他與康特的字母順序沾點邊，靠得近一些。

「讓我向你們三個坦白一件事，但請保證不要透露出去。」珍・阿德莉冷靜下來，臉上露出和解的笑容。「斯達福博士，提到按字母的順序排名的問題，你眞有幾分看法。早在我還是布朗大學大四學生的時候，我就雄心勃勃——非常關心發表文章時署名位置的問題，當然，那時我還從未發表過一篇文章，甚至還沒有決定到那裡去讀研究所。有一天，我宣布自己已從珍・亞德莉（Jean Yardley）更名爲珍・阿德莉（Jean Ardley）。這令我父親大吃一驚。就這麼改了姓！」

「你眞的這樣改…改了？」斯達福結結巴巴地說道。

「對。我去了法院一趟，遵循法律程序。我告訴法官：『最好排在第一，歷史已證明如此』。他沒有問我從那裡得知這些，就大笑起來。然而最令人可笑的是，這樣做到頭來根本不必要。儘管大家都建議我應該到其他地方去讀研究生，後來我還是留在布朗大學學習。你們可知道美國的科學界是什麼樣子的，最不喜歡同性繁殖，我們總是建議本科到其他學校去接受研究生教育。但是我想我需要的是一個女性榜樣。在全美所有的大學裡，沒有幾個學校像布朗大學有像卡特琳・巴克爾（Caitlin Barker）這樣的有機化學女教授。所以我選擇了她。」

「好在你更改了名字，」斯達福說道。「要不，你發表文章署名將會是巴克爾和亞德莉」。

「完全錯了。這就是爲什麼我說我應保留叫做亞德莉的原因。因爲巴克爾教授總是把她的名字排在最後。從此以後，我也這樣做。我認爲將年輕的合作者和學生排名在前是對他們一種很好的鼓勵，表明對他們的欣賞。所以我們在 *PNAS* 上發表的文章署名將會是布勒斯和阿德莉。」

坐在沙發角落裡的利亞插嘴道：「多謝你給我們講解了這麼多。但是爲什麼你自己不可以遞交文章到那雜誌呢？」

「*PNAS* 是僅有的一個雜誌，你不可以自己遞交。爲了能夠在這上面發表，你必須找一個國家科學院院士或能夠保證文章內容的人遞交。」

「你難道不是國家科學院院士嗎？」

「開什麼玩笑？」

「爲什麼你這樣說？難道女人就不可以嗎？」

瓊·阿德妮聳了聳肩。「哎，當然是可以的。至少在一六〇一個院士裡就有五十位女性，其中有一個是化學界的。但我敢打賭，所有這五十名女士都過了更年期了。」她馬上意識到自己措辭的不當，「我不應該這樣說。那些男院士們也都是一樣大的年紀——平均爲六十歲。但我要在不久的將來成爲院士。這樣我就可以自己遞交文章到 *PNAS*。這大概是我不要孩子的原因之一。我很希望我能成爲科學院裡最年輕的院士。哎，我眞不知道自己爲什麼要戴這頂僞君子帽子呢？」

利亞笑道：「最根本的原因是你本人就是一個僞君子。」

「不錯！難道你我不都不是嗎？」

斯達福仍然一絲不動坐在飯桌邊，雙手撐著下巴。他神色凝重，沒有一絲笑意。他問道：「你認爲你怎麼樣才可以打入國家科學研究院呢？」

阿德莉不無諷刺地回答：「哦，多弄幾個蟑螂激素，一、二個成功的病毒公司，以證明這個設想可以實際應用……。多得幾塊獎牌和獎賞……到處被邀請作報告……發表很多文章。最後找兩個國家科學院院士，最好是最出名的，來撰寫提名我的文章。」

「珍，爲什麼在國家科學研究院裡只有極少數女性？」利亞繼續問道。

「在化學界一百七十一個院士中只有一個是女的原因？」

「你似乎很清楚準確的數字。」達斯福說道。

「我想計算這個機率有多大。」她轉向利亞，「至今在一流大學的化學系專業中只有少部分女性是有保障的終生教授。哈佛大學沒有，普林斯頓大學沒有，耶魯大學沒有，史坦福大學只有一個。而院士又都在這些名牌大學裡選。院士不可能來自愛達荷或肯塔基大學。」

「我沒有意識到研究化學的女人那麼少，」利亞沉思道。「完全與我的專業不一樣。」

「我指的不是研究化學的女人很少，而是著名的不多。現在，幾乎有四分之一的研究生是女的。在我實驗室小組裡就有三個。利亞講講你的領域。今晚我像做報告似的說了不少。你答應過講講文學對話學（dialogism）。」

「很公平。我一直在想著有什麼東西在我的評論領域裡可以對你們有用。」

斯達福起身道：「請原諒，我累了。我要睡了。」

「你難道不想瞭解對話學？」阿德莉驚訝地問。

「我已聽利亞講過：變形推理演說、貝克丁的對話論、符號學的通性、隱喻和換喻。」斯達福的話中帶有幾絲歇斯底里，「這是住在這裡不可推辭的附加優惠。」他從沙發邊走過，順手推了推利亞。

「等一下！」利亞一把拉住他的袖子。「坐下。你沒有聽過下面的，對你有好處。眞的，對你們大家都有助益，準備好了嗎？」

「好吧，」斯達福嘲弄地嘀咕道。「但要講得直截了當些，變形推理說很容易就變形爲特長推理說。」他坐在安樂椅扶手邊上。用手撫摸塞麗絲汀的短髮。

「坐好。」她深情地看了他一眼。「規矩一點。」

利亞平靜下來，「讓我講講你提到的解構說。」

「先是貝克丁的對話學，現在又變爲『解構說』。」

「阿德莉教授你也許沒有聽說過著名的俄國人邁克何爾・貝克丁（Mikhail Bakhtin）。」斯達福有意拉長俄字的發音。「文學理論家，對話學之鼻祖，當代學術界的傑出人物，對嗎？阿德莉教授，你一定感到驚訝吧，我和塞麗瞭解這麼多關於他的東西。在這個房子裡，我們每天至少聽到貝克丁的名字兩次以上。」

利亞看了一下他。「對不起，傑利。這次你將聽到的是法國人德雷達（Derrida），但這與出身來源沒有關係。」她沿用斯達福的戲弄口氣道：「阿德莉教授，你已聽了關於貝克丁的二十秒鐘解釋，我花五秒鐘解釋一下解構說，它揭示被隱藏和被壓抑在人們語言中的意義，」利亞用手指在空中劃了一個引號。「我知道聽起來好像是在講課似的，但請允許我解構一下今晚你們這些科學家們所談到的東西。」她挨個看了一下三位聽衆，以引起注意。

「珍，你在剛開始談到昆蟲研究工作，提到主要作者時解釋爲什麼一個化學教授在文章上署名是合理的時候，你總是說『我們』。」

「不然我該怎麼說？」

「爲什麼不說『我』？」

「但是我們，」她馬上意識了，「在科學上從不這樣用。即使沒有任何合作者，在寫科學文章和作報告時，都不應該只說我，即使當合作者不在場的時候。」

「那誰又是『我們』呢？你指的又是誰呢？是不是科學社團？或是主席，政治家和編輯們所用的實指『我』的『我們』？我想沒這麼簡單，在我聽來，這個『我們』的涵義取決於聽衆。在演講報告時，你有各種各樣的聽衆，你的合作者——比如說塞麗絲汀·布勒斯，你的學生及專業同行們等等。對塞麗絲汀來說，你是想在大家面前清楚地感謝她的貢獻。而對那些坐在前排的大頭頭，那些可能有朝一日將爲你提名候選國家科學院士的人物來說又指的是什麼呢？這些人應該知道你是主要的作者，我敢打賭，對他們來說，這個『我們』涵義不一樣。這個『我們』涵義是指『不需理睬』的助理員，我們知道這是『我』的主意。」

「利亞等等，這並不公平。」

利亞舉了舉手，「珍，我並不是專指你。就算我們眞的面對聽衆，你說的『我們』確實是意味『我們』，然而不同的聽衆將如何理解你的『我們』？當然，寫文章就更難了。你不清楚讀者的來源，這隨時都不一樣。這時『我們』就變得很絕妙：到底指什麼取決於聽衆在你的研究上的投資，以及你在他們的投資上所做的投資。我算解釋清楚了嗎？」

塞麗絲汀從頭到尾保持沉默，雙眼不斷地輪流掃視利亞和她的教授，就像看一場網球比賽。珍·阿德莉最後打破沉默道：「這只是在文學上是這樣。現實世界裡當然不同。我們都清楚我們的意思。」她皺眉道。「是什麼原因使你決定投身於評論這一行的？」

「這不是突然的決定，在奧本林大學讀二年級時，我從英國文學專業轉爲女性研究。我父親都氣炸了，他問道：『你學這個，以後怎麼謀生呢？這個比英語文學專業還糟糕』。」

「你是怎麼回答的？」

利亞聳了聳雙肩。「沒什麼大不了的。我告訴他實際上我要學的是權術關係。現在，現代批評理論的熱門是後結構女性主義。我的論文就是研究這個的。維吉尼亞·伍爾芙（Virginia Woolf）和對話學對我正合適，看看我們到底誰能找到好的學術工作。」

珍·阿德莉問道：「這個『我們』指的是第一人稱複數呢還是實指『我』的『我們』？」她迫不及待地說，「請不要介意，隨便問問。」

利亞看了她一會兒才道：「這個問題很好。」

第九章

康特教授的辦公室的門雖沒鎖上，卻總是關著。他的學生們知道只需在門上敲一下，就可以聽到他說：「誰呀？」或「請進！」關著的門只是爲了迴避其他的干擾。

儘管斯達福在這門上敲過很多次了，但他敲門總是帶有一絲慌張，他總是恭敬地輕輕的彈兩下。這種打擾已足夠引起注意。然而今天下午他敲門聲斬釘截鐵，大步走入，期待康特的立即回應。他兩眼朝下注視正坐在桌邊書寫的康特。他等待著康特對他的注意，等待著聽到慣例的問題：「傑利，實驗有什麼新結果？」

「完成了，I.C.。我重複兩次檢驗了精氨酸的分析測試，以保證結果沒有錯誤。結果與您預想的一模一樣：就是這個氨基酸起了關鍵作用。」

康特雙眼緊盯著這位年輕人。過了好長時間他才回過神來。他猛地站起來，一把抓住斯達福的雙肩。「傑利，我們眞成功了？我早就知道我們會成功的。我們是不會錯的！」

斯達福在默默地數著有多少個「我們」，上星期與阿德莉的晚餐對他的影響要比他預料的多。自那以後，他一直將康特與塞麗絲汀的教授做比較。

「快點，走吧。給我看看結果。」康特飛箭似地走出他的辦公室，穿過秘書的接待室，走進過道。在轉身回頭看斯達福是否跟著的時候，匆忙中他撞倒了裝乾冰的箱子。「看看這過道，」他說：「我們應該整理一下。」

「怎麼個整理法？」斯達福壓低聲音道。

對於任何一個剛剛完成了一個完整實驗的人來說，斯達福似乎過於克制，以至顯得有點煩躁。過道是有點亂，但比起生命科學實驗大樓裡的其他過道差不了多少。亂七八糟堆著的實驗設備，很難讓兩人同時並肩走過。冷凍離心機，還有零亂排著的氮氣、氦氣、氧氣瓶，加上兩個直挺挺靠在牆邊的內裝組織培養物的大冰箱，還有剛剛康特撞倒的乾冰箱子等等，這些都只是讓定期過來作安全檢查的救火消防人員大發雷霆的許多東西的一部分。此時康特的注意力已轉到別處去了。「給我看看閃爍計數器的結果，看看……。」

問題越來越多，但是斯達福早已猜到了。他早已把數據整理好，讓教授檢查了。由於桌上總堆滿了紙張和圖表，康特沒有要求過目斯達福的實驗紀錄本。資料影本和複印的文獻期刊，亂七八糟地擠滿了整個書桌，（康特經常抱怨：「現在的學生，再也不在圖書館裡閱讀了，只是一個勁地複印。」），這與整潔無瑕的實驗桌枱面正是天壤之別。

自動收集儀上的試管一支支被小心細緻地標記著，沒有一樣東西是隨手草草畫個符號代替的。金屬盤中整齊排列著十幾個小小的三角瓶，貼著黃色的「放射性」符號。即使是盤子邊上的塑膠手套也是整齊地排列著，就好像手指還套在裡面一樣。

斯達福飛快地領著康特看過一遍結果。重要的數據，著重顯示了放射性標記蛋白質的放射性計數數據。教授欣喜若狂，說道：「我們要馬上寫出來，爭取在《自然》雜誌上發表。」

「不是PNAS？」斯達福驚訝地問。

「對。這次我想採用迂迴戰術。首先只發表簡單的通訊，沒有實驗細節。這樣就沒有人能趕上這個浪頭。《自然》雜誌最爲合適，它每週出版，刊登生物及有關學科領域的快訊，讀者佔全球的前二位。華生和克里克（Watson and Crick）第一次宣布核糖核酸的雙螺旋結構模型就是在《自然》上發表的，只有一頁紙長。」

「如果這樣，爲什麼不在《科學》雜誌上發表？爲什麼要千里迢迢寄稿到倫敦去呢？而送稿到華盛頓只需一天就行了。」

「到我的實驗室來。」康特竟然做了一個很少有的親熱動作——將手搭在斯達福的肩上。「傑利，你知道我不是一個神秘的人。但是在這件事情上，我希望儘量避免事先走漏消息，我要的是鞭炮般的爆炸效應！你不知道要做到這點有多難呀。如果我們投稿到《科學》雜誌，克羅斯肯定會是審稿人之一。如果我是編輯，就一定要聽聽他的意見是什麼。我想要讓克羅斯大吃一驚。他早已聽過我的理論，並且向我們挑戰是否可以實驗證實這個假設，我們竟在三個月之內就做出來了！」

「傑利，你到底怎麼回事？」康特向他的學生微笑道：「你應該歡呼跳躍，而你卻這樣坐著悶悶不樂。」

「我想我大概是太累了。I.C.，你也知道這一陣我工作有多麼努力。」

「沒錯！沒錯。傑利，今晚你睡個好覺，明天列出總結放射性和核磁共振數據的圖表，今晚我自己來寫文章。然後我們可以最後一起看一遍。」

「多謝，我確實需要睡個好覺。但你還沒有講完爲什麼我們不投稿到《科學》雜誌。只是因爲克羅斯有可能是審稿人嗎？」

「當然不是，要不就有些太孩子氣了。我淸楚我可以寫信給編輯丹・卡喜蘭特（Dan Koshland），要求他不要寄給克羅斯。他多半會聽從我的要求。傑利，我要的是爆炸效應！像我們這樣的文章，一定會令審稿人走漏消息。《自然》雜誌在倫敦出版。他們不太可能寄稿給美國的審稿人。再加上英國人做事要謹愼小心些。當然像我們這樣不同於一般的文章，你很難預料又會發生什麼事。」

斯達福眞是很喜歡與I.C.有這樣的交談。從過去的交談中他學到了科學資金的關係，現在又學到了審稿人的關係。——這類事的奧秘，通常只有通過痛苦的教訓才會體會到。而他竟從一位表現最出色，有著近三十年經歷的人物身上學到了這些。癌症難題和細胞膜蛋白質，只是康特最近的戰果。早期他曾因在鎭痛藥物代謝脫毒方面的研究工作，而獲得拉斯卡爾（Lasker）獎。繼而他又從事細胞膜結構的研究。他的口頭語就是：「沒人能找到一個沒有細胞膜的細胞。」至今還有一些人在他的實驗室裡接著從事這方面的研究。就是因爲康特在這方面有長達十年的經驗，促使他走向癌症方面的研究。然而在最近向國家癌症研究中心，遞交的一個資金申請報告中，他甚至沒有引用腫瘤起源方面的工作。

「傑利，問題是，如今如果沒有很多錢的話，你就無法從事眞正的研究工作。想想你在儀器上使用的經費就知道了。當你把申請資金的報告遞交出去以後，你的競爭對手也都正是該申請案的審核人。」康特解釋道。「與文章審稿人唯一的差別就是，這次他們審查的是你的構想、主意，而不是已完成了的工作。我不是說他們會不誠實，至少我認爲在我服務的那六年期間內，我是誠實的。但是人們不會僅僅由於崇高的責任感，或者是爲了對知識的慈善心來承擔這樣耗時的工作。擔任這項工作總是會夾有一些個人的興趣愛好，能最先接觸到最近的進展，最新的消息，這是最主要的動機。你會自然而然地記住你所閱讀過的東西，過一陣子，也許幾個月或幾個星期後，你會忘記你是在什麼地方上看到這個想法和主意的，慢慢地就以爲這就是你的構想，正因如此，那些行家們從不列出所有的東西。他們在資金的申請報告裡敘述大部分已完成但尙未發表的工作。只有那些從未有過研究資金的科研新手，才不得不將所有的招數底牌亮在桌上，因爲他們沒有一點其他的家當。這就是這個行業的規矩：那些已有……」

最後，他們的選擇並未帶來多大差別。就像亞德莉本不必改名爲阿德莉一樣，康特本可以不用擔心消息的提前走漏。以I.C.康特和J.P.斯達福署名的〈腫瘤發生學通論〉一文竟沒經過任何正式的審稿就通過了《自然》雜誌的編輯關。該雜誌的主編約翰·馬多克斯（John Maddox）雖是物理學出身，但他對任何學科領域的熱門消息有著靈敏的嗅覺。這種本事得之於他以前從事《保衛者》（*Guardian*）科學版的編輯經歷，在那裡他獲得了有關科學與科學工作者的廣博知識。當那封來自美國的特快信件到達倫敦的第二天，就有一位來自馬多克斯辦公室的信差，在米爾山國家醫學研究院裡，等待著馬多克斯的一個心腹朋友閱讀這篇簡短的文稿。他的有力批語——「發表！」就足夠了。當晚馬多克斯電話通知康特。「康特教授，你知道我們通常要有審稿的正常程序，不僅僅爲了我們的利益，也是爲了作者的名聲。但是你們的文章不同凡響，如果是眞的話……。」

「如果是眞的話，你這是什麼意思？」康特暴怒道。

馬多克斯仍然鎭靜地接著說。「我只是指出像你這樣的實驗，總會有很多人要想盡辦法去驗證的。當然在他們進行驗證之前，你們得在別處發表整篇文章。我們這裡沒有篇幅來刊登你們實驗的細節。如果你的實驗被證實了的話，那將是一個令人振奮的進展。否則……」他沒有必要說完這句話。康特深知此類失誤會導致癌症領域的假設玷汙實驗信譽的後果。

在文稿到達倫敦的第十天，他們的文章就刊出了。這個事實看在康特同事們的眼裡頗令人震驚，因爲通常他們要等好幾個月才能夠把他們的文章發表出去。像科學這樣對於時間的先後順序非常敏感的行業裡，發表的期刊文章總是標有編輯部辦公室裡收到該文稿的時間，無論在美國和英國，該時間到文章最後發表所需要的時間直接與審稿人所設置的障礙多少成正比。這是一個由強人統治的王國，在那兒就是那些巨頭的作品也會被某些小人物們分肢解剖。每個有成就的科學作者，包括傑出的康特，也與那些不知名的人物有過幾回合撕心裂肺的爭論。

斯達福還從康特那兒學到了，可以選擇自己喜歡的審稿人。如果，你在文章裡多次引用某位科學家的成果，就可以引導編輯選擇該人作爲一個贊同的審稿人。如果你在引用此人的工作成果時，評價這位可能審稿人的工作是「漂亮的」、「激發思想的」，或者是「有意義的」，他就很可能以舒暢的心情來審閱你的文章。康特曾說：「講好話總是有用的。」「絕不要在反駁文章上侮辱審稿人，不論審稿人寫出多少愚蠢的評語，絕對不要在回應文章中侮辱他。」

雖然康特從不講笑話，但是他知道許多傳奇軼聞。譬如說關於封口信袋（Pli Cachet'e）一事，他突然關注到出版發表的根本問題：建立優先權的欲望。他承認道：「我們會憂心忡忡，如果我得知有人在一個月或甚至三天之前向一個無名雜誌比如《瘤生物》或《日本醫學雜誌》投交了關於腫瘤理論的類似文章的話，我會非常氣悶。所以可以想像人們在爭取優先權，和同時要保密他們的工作成果之間所面臨的衝突。」

「就像我們現在這樣嗎？」斯達福問道。

「因爲我們首先發表一篇沒有實驗細節的通訊嗎？我絕不會只因爲這個保密性才將我們的文章刊登在《自然》雜誌上。我這樣做是因爲……，」他在盡力尋找一個恰當的字眼，但沒有找到，「就叫它PR（移民永久居留證）。想想看在一個科學家的一生中有幾次能夠向庫爾特·克羅斯這樣的人扔出個炸彈，一個非常重要而我們完全解決了的難題？我想要的是對那些關鍵的人物能造成最大的效應，但絕不單指保密性。我所說的衝突是指人們想對其他科學家保密他們的成果，卻又由於競爭必須搶先發表以取得優先權。」

斯達福一副迷惑的樣子，「那你是如何做到的？」

「很幸運，現在你做不到。」康特回答說，「因爲這樣的行爲與你理應處理科學研究成果的方式截然相反。你從一個共有的知識海洋裡吸取營養，那麼就應該回報回去。但是在幾十年前，也許就在我讀研究生的那個年代。你還可以在歐洲的雜誌上那樣做。他們有個叫做『封口信袋』的裝置。」

斯達福皺了皺他的眉，「什麼？它指的是什麼？」

「這是法文對『封口信袋』的稱呼。信封眞正的被封死，用紅蠟或類似的東西。這樣，在文章遞交後，雜誌編輯在收到後立即標明日期，但要到作者本人提出要求之後才被打開，審閱出版。『封口信袋』的作者多半只有看到競爭對手發表類似文章後或快要發表類似文章時，才這樣要求打開封口。儘管他的文章很可能晚些出版，但封口上的投稿日期可以表明他的優先權。」

「那些人會這麼做？」斯達福問道。

「什麼樣的人都有，就連諾貝爾獎得主也會如此。我記得有一篇在《瑞士化學學報》

（*Helvetica Chimica Acta*）上發表的關於花香精的文章，作者是倫納德·盧志卡（Leopold Ruzicka）。他在第二次世界大戰前獲得諾貝爾化學獎。最後也是由於香料行業的某些不太光采的事，使得瑞士的雜誌編輯委員會廢除這個封口袋 Pli Cachet'e 制度。」

康特站起來走來走去，一隻手放在工作服的口袋裡。斯達福在上他的課的時候，就已熟悉他的這個姿勢。

「有傳聞說，一個近五十歲的瑞士香料公司的化學研究者，同時遞交了兩分封口袋文章稿。兩個信封裡裝的是他針對同一個問題給出的兩個不同的答案。當時他不清楚那一個答案是對的，他想這樣做的話準不會失誤。只要有人發表任何文章支持兩個可能答案中的一個，那麼這個人就可以要求編輯打開其中那個裝著正確答案的袋子，這樣他就可以取得這個工作的優先權，儘管他當時並還沒有搞清楚這個問題。」

「算了，I.C.！」斯達福叫道：「我不相信竟會有人要這樣的花招。你又怎麼知道此事是眞的呢？」

「我不是直接得知此事。」康特勉強承認道：「但我是從一個可靠管道得知此事的。很顯然，編輯開錯了信封口袋，因而發現了其中的奧秘。這也是這個雜誌社最後一次接受『封口信袋』。」康特停在斯達福的面前。「爲什麼我會想起這個『封口信袋』制度呢？我希望不是出於我的某種不甚明智的願望。」康特輕聲一笑。「其實，對於『封口信袋』制度，我們應給予公證評價：它對那些需要申請專利的人有幫助。在歐洲，如果你已發表了你的工作，那麼你就不可以爲你的發明申請專利。這樣，一個發明家偶爾可將他的工作以『封口袋遞交』，直到專利局同意他的專利申請以後才發表，這樣你就可以又得到你的蛋糕，又可以吃掉它。」

「I.C.，你曾經申請過專利嗎？」

康特正走過斯達福的椅子，這時他停了下來，腳尖急轉以回答這個新提出來的問題。

「就一次。但我發現在大學裡對工作成果申請專利這個想法不那麼合適。我知道人們會認爲我這是老觀念，我是絕對的少數。對自己的發明申請專利，並沒有什麼不對或不合法，但是就好像捅開一個馬蜂巢；很明顯的一個難題，是在研究中容易被忽略掉的關於經濟獎賞的分歧成見；怎麼分配紅利——要比決定誰應當是文章共同作者更困難。……」他苦笑地看了斯達福一眼。我們不都清楚怨恨會由此而來嗎？對於專利權就更是糟糕，「人們分享的不僅僅是榮譽而可能涉及金錢。」

斯達福很好奇。康特從未對他，也未對其他的學生們以這個態度談論科學榮譽和優先權。也許只是很間接地提及過，但從未這麼開誠布公。至於關於金錢這個話題則從未提過。儘管學生們常常猜測康特的收入來源。從他的派克（Patek Philppe）手錶，BMW 轎車，實驗室裡的眞絲領帶，還有他使用的萬寶龍金筆，與大家的原子筆成對比。所有一切都顯示他的經濟收入遠比其他中西部大學的薪水高得多。

「I.C.，你畢竟還是申請過一些專利吧？你爲什麼要破這個例呢？」

「不完全是這樣。在你到這裡來的幾年前，我們設計了一個新的細胞記數儀。學校的專利辦公室聽說以後，認爲可以在臨床實驗上賺不少錢。我們把專利交給了學校。就這樣還是引起了難堪。我的一個博士後是其中的一個發明者，他對於我堅持將所有的利益歸屬學校很不高興。他認爲一個教授將其個人的原則標準強加於他的合作者身上是很不公平的做法。傑利，你又有什麼想法呢？」

斯達福試探道：「你指的是金錢嗎？」

「不是，我指的是教授的標準原則，應用到學生身上這個規則。」

斯達福回答道：「這我不好說。我想這全取決於當時的情況和場合。」

第十章

「哎呀，嚇了我一跳。」利亞叫了起來。當她打開房門時，竟發現斯達福手捧一本雜誌橫躺在沙發上。「還不到六點就回來了，是不是要和我們一起吃晚餐？」

「我做完了，」他一字一句道。「從今以後，你會看到我發光誘人的一面。你甚至會明白為什麼麗質天生的塞麗絲汀會愛上我這個聰明過人的細胞生物化學家。」他示意利亞道：「你近來如何？」

「傑利，你為什麼完全變了一個樣，這麼自在輕鬆，甚至還彬彬有禮。你是否完成了什麼？」

「被你們倆戲稱為『神秘』的實驗終於做完了。康特教授今晚就把它寫出來，明天我們一起看一遍，他就寄交給雜誌社。他選中了英國的一家，這樣在出版之前這裡沒人會知道。」

利亞搖搖頭道：「你們這些搞科學的人也眞是，先是沒日沒夜累死人地幹，但最後只需幾個小時就可以寫出來。我卻不同，只有在寫完之後，我才淸楚我是怎樣考慮一個給定的課題的。而且，我也只有在給我的朋友，指導老師看過以後才送交出去。就算寄出去以後，雜誌社也需要好幾個月的時間才會答應接受它。就是文章被接受了，也要在一、兩年以後才可能出版。眞正讓我搞不明白的是：你們急急忙忙把工作做出來，去出版發表，而至今仍要保守秘密。你難道不知道拉丁文『發表』二字的詞源涵義就是告訴大家？你們這些搞科學的到底要的是什麼？」

「利亞，不要這麼武斷。」他用雜誌輕輕地拍了拍她。「只需要再保密幾個星期。我想康特想給哈佛大學的克羅斯和其他的巨頭一個震憾。」

「哎，你在看什麼？」利亞看了看他手中的雜誌叫道：「這是我的《倫敦書評》（*London Review of the Books*），斯達福博士你到底葫蘆裡賣的什麼藥？」她用手向後梳了梳擋住她眼睛的頭髮。這是她的習慣動作之一。有一次斯達福曾爲此問她爲什麼不把頭髮剪短些。她回答說，「你們搞科學的人不會理解的：作者沒有在書寫的時候，雙手需要有點事做才行。這就是爲什麼大多數的作家都抽菸，而我不抽菸，所以就梳理頭髮。」他只好點頭。他現在已學乖了，避免與利亞爭論。

他臉上掠過一絲頑皮的笑容，「我只是想知道那些文學評論家們在做些什麼。看我發現了什麼？這本雜誌上居然也刊出科學家的作品！竟然是諾貝爾獎獲得者馬克思·伯雷茲（Max Perutz）。」

「眞的嗎？給我看看！」

他用手指了一篇關於克羅斯·發其斯（Klaus Fuchs）的文章：「一個徹頭徹尾的騙子。但是文章非常有趣，你該讀一讀。」

「騙子？我還以爲科學家應該都是從不行騙眞實的完人。」

「發其斯在科學上可是一絲不苟從不行騙。但在原子彈製造項目研究中他是蘇聯派到美國洛斯阿拉莫斯（Los Alamos）國家實驗室的間諜。今天晚餐由我掌廚。」

「塞麗，我們休幾天假看看外面的大雪好嗎？你可以教我滑雪。你說過，要教我這個南方人一些西部健美女郎的運動。讓我們淨化一下頭腦，鍛鍊鍛鍊肌肉如何？」

「傑利，我倒是很想休假。」她邊說邊搖頭道：「但是，那也只能是在床上休息一下。目前我不可以休假離開。我正在學習怎樣做病毒結合實驗。珍與我一起做，一塊研究。所以我必須聽從她的時間安排。」

「爲了慶祝我的成功，難道不能休兩天假？」

「不行。」她斬釘截鐵地說，「可記得，你甚至不能花幾小時來慶祝我的成功。況且他會讓你離開實驗室？」

「會的，他告訴我，明天我們把文章遞交出去後，他會在星期五一早離開，要到下星期一才回來。好了，我們出去玩玩吧，我們從來沒有一起出去過。」

「我知道。」她低聲道。回想起盧弗金講過的一句話：要想深知一個男人，和他相處三天是絕對必要的。她現在還不明白這句話的道理所在。但是與盧弗金在紐約的一個週末可眞是風流無比。「傑利，我眞的不能去。我們的實驗正處於一個非常關鍵的時刻。也許一、兩週以後吧。」

「到那時雪都融化了。怎麼辦？」

「如果眞是這樣，我們就找一個大都市，接受文化的洗禮薰陶。我有一個姨媽剛剛從波特蘭搬到芝加哥。她說，我可以隨時到她那裡去。她不介意你與我共睡一張床的。讓我們……。」

「讓我們，」他回答說，「我的腦袋都塞滿了。」

「這個週末，讓我們玩點不一樣的東西。」康特在電話裡說道。「我想慶祝一下，彈第六號作品如何？」

「又是海頓的作品?康特，可是你才說要點不同的。」

「索爾，誰講海頓了，我指的是波切雷尼（Boccherini）。」康特爲能捉弄一下他們的第一小提琴手很是得意。索爾·米可夫（Sol Minskoff）與他皆是紐約市立大學讀本科時的同學，一直保持聯繫。米可夫曾是第一流的提琴手，技藝之高，以至他有很長時間不能決定是做職業小提琴手呢，還是去做法官，當然最後索爾做了法官。但是無論走到那裡，他都組起一個業餘四重奏樂隊。現在他在芝加哥就有一個很活躍的樂團，當他得知康特在該市有一個臨時寓所後，就邀他加入樂團。業餘提琴手，與不得志的職業提琴手大不相同，屬於很稀有的一類。而那些不得志的職業提琴手可眞是多如牛毛。若四重奏中缺那麼一位，只需幾秒鐘就可以輕易地找一個人代替。

「哎，」他細細琢磨康特的評價，說道：「波切雷尼的作品比海頓的還多。你知道嗎，在弦樂四重奏方面他以九十一比八十三擊敗了海頓？」

「我不知道。」康特心裡想，索爾一談起音樂，還是那副非贏不可的樣子。

「這九十一個四重奏還不算什麼。他作了不少一百廿五個弦樂四重奏的作品。如果我可以找到另一個大提琴手，我們就可試試他的第三十七樂章第七號作品，多麼奇妙的迴旋曲！」他哼了哼幾個小節，「對了，說起大提琴手，你將會與一個新的大提琴手，菠娜•柯里（Paula Curry）見面。……」

「菠娜？」康特在說「娜」字時的語氣變得凝重起來。「我一直以爲我們是個男性的樂隊。」

「哦，對了。自你加入以後，我們從未有過任何女性對不對？其實本來是有一位的。那時有一個女提琴手，樂團裡的另外兩個人都很希望她的加入。但我堅持要你……。不說這些了。哈伯出了車禍，把腿弄斷了。你也知道，上了石膏就拉不成大提琴了。眞得感謝上帝，當時他的大提琴沒有放在車裡。還得再感謝上帝，我在這麼短的時間內能夠找到一個大提琴手。儘管還沒見面，聽說她不錯，剛搬到這裡。」

「我爲哈伯感到遺憾。哦，我建議這一次到我的公寓來演奏，其他人都還沒有來過我家呢。在奏完波切雷尼的曲子後，我要讓大家吃一驚。你最好對其他人提一提他的第六號作品。萬一有人想預先練習練習這個曲目……。」

「康特，我再重複一次，我們只是業餘愛好者，但是我們都不是才出道的新手。我們都可以自己讀曲。更重要的是我們只是爲我們自己演奏，而不是在公衆場合。如果預先練習，那麼第一次試奏新曲、一起發掘優美的樂段，以及第一次設法演奏好一個高難度部分，這種種美好的體驗，就會全被破壞了。不行，絕不行！」

「誰呀？」康特低頭把口湊到傳話機上。嘹亮的電鈴聲使得他走出浴室，臉上還帶著刮鬍子的肥皀泡沫。他心裡納悶著這會是誰。另三個四重奏演奏者應該還要過四十五分鐘才該登門。

「菠娜。」傳話筒的靜電干擾聲刺耳極了。康特心中惱怒道，不知多少次了，他告訴管理人員要他修理一下，這個寓所是一個湖邊的高級別墅，而不是那種二等寓所。

「誰？」康特一點都想不起是誰。

「菠娜·柯里。」又重複了一遍，「我就是那個大提琴手，對不起我來早了一點。」

「早了一點？」康特心中嘀咕道。他連領帶都沒打。他認爲自己衣冠不整，爲此感到渾身不安。按了一下按鈕，他說：「請上十五樓，出了電梯門向左拐。」

康特飛快地擦洗了臉，抓了一條蝴蝶結領帶，行家般地雙手急速將領帶打在他藍色的襯衣領子上。這領帶顏色鮮明，經精心縫製，很有城市週末的味道。上班時間他總是在白工作服或西裝上衣裡頭戴上領帶。他才梳完頭髮，門鈴就響了起來。

菠娜·柯里左手提著大提琴，高過康特的頭頂。當他打量站在門邊的這位女人時，一股熱流沖上了他的臉龐。他結巴道：「請、請進。我沒有料想會有人現在來。」當她飄飄進門時，康特竟聯想到智慧女神帕拉斯·雅典娜（Pallas Athene）。她的金黃色頭髮瀑布般地起伏直落到她的雙肩，使得他情不自禁地想，這位女人幸虧沒有成爲小提琴手，要不然頭髮該會與音弦糾纏不清了。

「請進。」他重複道。「讓我幫你脫下大衣。」

當菠娜將大提琴從一隻手換到另一隻手上時，康特幫她將大衣拉下來，這彬彬有禮的過程引得菠娜的一陣笑聲。在他最後終於將大衣拿在手中後，他更覺得她像希臘的帕拉斯·雅典娜：她身著的無袖香棕色衣服，也夠得上像與古希臘人穿的那種寬袍子相比。她小心地把大提琴盒放在地上，走進了客廳。「好美的風景！」她大步跨到緊靠大窗的低沙發前，靠著朝外觀看密西根湖。與白色的湖岸相映照，那湖水被襯成了暗紫色。「你該不會看膩了這個風景吧？」

「當然不會。我不常在這裡，通常只是週末。」

「爲什麼呢？」菠娜自己坐進沙發裡。縷縷金黃色的頭髮，輕柔地拂著她那圓滑無遮攤放在沙發靠背上的雙臂，細小的雙眼盈溢著調皮的神色，微張的大雙唇塗上紅艷的唇膏。還有斯拉夫人的高顴骨，豐滿的胸部使得她苗條的身體顯得豐滿俊俏。她的所有一切就像一幅奪目的畫面呈現在康特面前。「你常旅行？」她詢問道。

「不常。但我工作的地方離這很遠，因此不可能住在這裡。」康特很想換個話題。

「在那裡？」她繼續緊問道。

他簡短地提及大學的名字。希望菠娜能像那些研究生們一樣，可以從口氣中聽出他的不情願，而給予尊重。但令他意外的是，他的這種做法反倒激發起她的好奇心。

「那你教書囉？」

康特點點頭。「也做研究。應該說我主要做研究。」

「什麼領域呢？」

「細胞生物學。」

「眞是巧合！」她叫了起來，「我有一個侄女也在你那個大學主修化學。她是一個研究生，在攻讀博士學位。不知你認識不認識她，她叫塞麗絲汀·布勒斯，她是我同父異母妹妹的女兒。」

「名字不太熟悉。」康特開始有些反應了。「我不太可能見過你的侄女，除非她修過我的課。我們的學校很大，有三萬多學生，加上化學系樓與生命科學樓又離得很遠。」他決定開始以進攻的方式制止她的提問。

「柯里女士……」

「叫我菠娜就行了，不必客套，況且我們將在同一個四重奏樂團裡演奏。你叫什麼名字？」

康特的臉紅了起來。別人親密的舉止總是使他不安。這也是爲什麼他僅僅用名字縮寫來發表文章。當然在名片上也一樣。「人們叫我『I.C.』。」他低語道。

「冰涼（ICY）？在這嚴冬臘月的晚上，你並沒對我有什麼冰涼的表示。你怎麼會用起這個別號來著？」

康特極不願意在這種場合下開玩笑。「不是『冰塊』的冰涼（ICY），而是I.C.（Eye C-ee）他一字一句地發音道。

「哦，我明白了，（I-See）。她逗著他說，「I.C.那又是……」

康特心知下一個問題又會是什麼，這次他決定武斷地制止這個話題。「柯里女士，哦，菠娜，我知道你是從波特蘭搬到這裡的，爲什麼來芝加哥？」

「過來，坐在這裡。」她用手拍了拍她身邊的坐墊。「我不習慣有人像高塔般地立在我旁邊。」她側過面來看著他。「爲什麼到芝加哥？答案很簡單又庸俗，爲了一個男人。」

「那你的……」康特沒有想到潛在的麻煩，問題已脫口而出了。該怎樣稱呼這個男人呢？他心中琢磨，是丈夫、情人，還是朋友？「那個男人又是做什麼的呢？」康特笨拙地接著提問道：「他又爲什麼搬到這裡來？」

又是一串笑聲掠過他的雙耳，「我並沒有說我是與一個男人一起搬到這裡來的。其實，我到芝加哥來是爲了逃避一個男人，他仍在波特蘭。眞得感謝上帝。哎，I.C.你怎麼樣？這個屋子裡有女主人嗎？」菠娜接著又問了一句，就陷到沙發的枕頭中。

今晚康特第三次臉紅了起來。「我是單身。」

「你是同性戀嗎？」她問道。康特震驚的表情，使得她立即用手捂住了嘴巴。「對不起，我只是開玩笑。在我以前住的地方，這個問題是友善的。當然，這不關我的事。」

「沒有關係，」他僵硬地說，「我離婚有一段很長的時間了。」十一年該稱是很長的時間吧？他好久沒有想過他前妻了。現在要他描述伊娃的長相有點困難。這一切都已遠到他記憶的死角。猶記得那個夜晚，當他坐在書桌邊，在暗淡的燈光下閱讀PNAS或其他的什麼雜誌時，伊娃走進他書房的情景。他不清楚她站在門邊觀察他有多久了。「I.C.！」她那清晰但冷淡的聲音眞使得他聯想起了冰塊，他抬起頭來，手指放在被打斷的文章段落上。她說道：「我們該結束了，結束這所有的一切。」

「結束什麼？」康特問道，腦子裡仍充滿了長長的專業名詞，一時對這簡短的字句會不過意來。

「所有的一切。」伊娃回道，雙手朝房屋四周擺了擺，「我們離婚吧。」

菠娜·柯里站起來走到擺在樂譜架後的四張座椅旁邊。「我從未坐在海普懷特式的凳子上拉過琴。這個餐具櫃該又是英國安妮女王時期的吧？對不對？」

康特點點頭，沒有說隻言片語。

「那把椅子又是怎麼一回事？」菠娜問道。「為什麼燭台架裝在扶手上？有蠟燭時，不會燙著手肘嗎？」

「如果你姿勢正確的話就不會的。這燭台架應在你的前面而不是背後。」康特變得活潑起來，他補充道：「這是一把『吸菸椅』，你應該像騎馬一樣，雙腿叉開坐在上面。」

「當然！我怎麼會問這麼個蠢問題。」

他走過去搖出扶手邊的兩個轉角盒子。「男人們常將吸菸的套具放在這裡，用光滑的背面作為讀書台。我不吸菸，所以將紙筆放在這個盒子裡。這把椅子用來讀期刊很好。記筆記很方便。」

菠娜．柯里一副很佩服的樣子。「請問你是在那裡弄到這把椅子的？該不是芝加哥吧？」

「不，是在倫敦。」

「該不是在倫敦的證券街上的木槌店裡發現的吧？」

「不是。是在一次拍賣中。」

「是在索斯帕店還是克里斯蒂舖？」

「為什麼你那麼有興趣？」

「只出於職業好奇心而已。」

這傢伙眞是聰明過人，康特心中暗道，她是要我問她的職業是什麼。康特心中仍然抵抗，突然改變話題，「對不起，你想喝點什麼嗎？我有——」

「不要，謝謝。」她用手拉住他的雙臂以制止他起身。「細細想一想。你倒眞能給我提供一些東西。」她用手指了指面朝湖水的窗口——「你這裡的風景，還有你的家俱，使得我忘記了我早到的原因。我可不可以看看波切雷尼的總樂譜？我從未拉過這個曲子，也沒有時間去找這個東西。」

「只要你不告訴索爾·米可夫說我給你看過。他不贊成事前練習。」

「我不說出一個字。」

康特感到他們的語題已回復到了正常的圈子了。「索爾怎麼認識你的？」他問道。

「通過在波特蘭一位常與我一起拉琴的律師。」康特此時意識到，在他自己知道他已露出了詢問的神情之前，她就已先覺察到了。

「他不過是一個演奏的二把手而已，」菠娜面帶笑容地補充道。

在有新成員加入後，第一次演奏波切雷尼的四重奏竟獲得巨大成功。演奏完第三樂章，愉快的快板後，大家的臉上充滿了喜悅。米可夫得意地問道。「不錯吧？我們沒有預先排練過。再瞧瞧最後一個樂章怎麼樣。」

他用手絹擦了擦前額後，把它再放回在脖子上，然後轉過頭問坐在他正對面的大提琴手，「菠娜，你認爲下一個該演奏什麼？」

康特抬了抬眼皮，看到小提琴二把手拉爾夫‧德雷珀也抬了抬眼皮。他們心知這個動作的涵義：米可夫幾乎從未請問過大家關於曲目的選擇。他不是推薦，就是讓大家投票來決定。

「我們試試第五十九樂曲的第一樂章。」她毫不猶豫地回答，「至少第一樂章。」

康特和德雷珀（Ralph Draper）再一次交換了一下眼光。米可夫這回會讓步嗎？貝多芬的這一首四重奏的第一樂章，三個 Razumovskys 的第一個，是以開頭部分的大提琴曲調而蜚名的。第一提琴手在演奏該樂章時只能充當二把手。可是米可夫回答：「就試試吧。」

康特心中又一次被莫名奇妙的記憶占據了。天哪，他心中想道，該問問索爾他是否也回想起了同一件舊事。在紐約市大學學習的最後一年，米可夫和康特曾步行穿過華盛頓廣場，去觀看一個室外巨畫作品展覽。他們優閒地觀看了一些山水畫、極端的抽象畫，以及一些拙劣作曲，諸如此類常在展覽中見到的東西。後來索爾指了指掛在樹上的一幅大油畫，「瞧瞧她的奶頭。你願意與她一起拉琴嗎？」他問道，臉上掠過一絲淫笑。油畫裡是個裸體女人，大提琴夾在她的兩腿之間，她右手提起琴弓彷彿正要開始拉琴。而今夜的畫面要更加奧妙和含蓄：金黃色頭髮的菠娜‧柯里懷抱光亮的大提琴，腦袋輕靠在提琴的脖子把上，雙眼半閉，臉上充滿了夢幻的表情。

「I.C.！」米可夫的叫聲將他拉回到現實中。「我們正演奏四重奏，而不是三重奏，重新開始。」

演奏完最後一個音譜，甚至在米可夫還沒有收弓之前，康特就跳了起來。「請大家將自己的樂器收一下，並將樂譜架移開。今晚我們要慶祝一下。」康特走進廚房，並關上了門。每一樣東西都已準備好了：魚子醬已裝在玻璃碗中，只需放到銀器裡，加滿碎冰；切得很薄的棕色麵包片整齊地排列著，並用塑膠紙蓋得嚴嚴實實；還有烟燻的紅鮭魚，加上水晶的細頸瓶中裝滿的深紅色的葡萄酒。唯一剩下需做的事就是拌攪蛋白。當康特將蛋白混在早已準備好的奶油中時，身後的門開了。「需要我幫忙嗎？」菠娜·柯里問道，「你在這兒忙什麼？」

「我剛剛做好點心，給大家驚喜。請你將魚子醬和鮭魚片拿出去。」他用頭示意道，「我只需將這個放進烤箱。一會兒就出來。」

「康特回到客廳裡，點起蠟燭，調暗燈光，有點僵硬地坐正，宣布道：「這個星期，我們完成了一項很重要的試驗。這就是慶祝的原因。魚子醬、煙燻鮭魚片，還有……，」他看了一眼他的派克表：「二十九分鐘後就有令你們吃驚的甜點。」

菠娜迫不及待地提問：「給我們說說你的實驗吧。」米可夫插嘴道：「在說之前，告訴我伏特加在那裡？那有人吃魚子醬不喝伏特加的？」

「只怕你得這樣吃了，這裡沒有伏特加。」康特回頭對菠娜·柯里說，「我希望你不會在意。我平時很少招待人。我有一些白酒，但是這——」他舉起細頸酒瓶對著燭光使顯示出透亮的紅色，「它很特別，是一九六一年的法國葡萄酒。如果我們這位律師要聽證這瓶紅酒的好壞，那甜點將會爲之辯護。」

「好吧，」米可夫舀了一大勺亮晶晶黑珠珠的魚子醬放到他自己的盤中後，臉上才露出滿意的表情。「可是蛋白在那裡？還有洋葱和檸檬呢？」

「索爾，這可不是從裡海撿來的那種在老祖父們的猶太山莊裡吃的那類東西。這可是歐洲的鮭魚，我絕不讓你用雞蛋和洋葱蓋掉這個鮮味。如果你堅持的話，用點檸檬還可以。」

菠娜·柯里已在麵包上塗好了魚子醬，「你們兩個何不結束你們的雙簧，享受享受這歐洲的鮭魚？」

「眞妙！」德雷珀舉起了他的酒杯，叫喊起來。

巧克力奶油蛋糕眞不錯，就連米可夫也贊許。「I.C.，」他舉起了酒杯說：「如果你的那個實驗有這個的一半成功，你將會名聲遠播。」他舔了舔嘴唇，看了看他的朋友們，說：「該走了。菠娜，我可以送你回去嗎？」

「謝謝，不需要了。我自己開車來的。我再待一會兒才走，幫I.C.收拾一下。不該讓他一個人收拾打掃，尤其是在露了這手罕見的本事之後。」

前門剛剛被關上，菠娜就接著說：「現在小提琴手們都走了，剩下的就是罕見的二重奏：大提琴和中提琴。有什麼可以演奏的嗎？」

康特對此毫無準備。他試圖從她的臉上看出什麼。她的雙眼流出的神色，奇妙的滿足感，蓋上一層光彩，其涵義可以隨你怎麼去解釋。他決定求穩。「哦，這裡有貝多芬的E平調雙重奏，還有亨德密斯的……」

「算了，算了。」她打斷他並拉起他的手臂。

「我們到廚房去收拾吧。你有圍裙嗎？」

兩人只花了幾分鐘就將東西裝進了洗碗機。當康特正擦乾他用手洗過的最後一個酒杯時，他的客人又讓他吃了一驚。

「I.C.，我喜歡你。你是一個出色的廚師，古董行家，我想你一定也是一個優秀的生物細胞學家……。」

「謙虛地說，也還算是最好的之一。」他故裝自滿地回答。

「一個不錯的提琴手，……」

「我知道下一個就是『可是』了。」

「不，沒有『可是』。要不然你也不會拉到愛樂團的中提琴的層次。我很喜歡你拉琴的樣子。你不用腳一個勁地敲地。你完完全全地欣賞著音樂，臉上的表情就是如此。而且你拉波切雷尼拉得很不錯，除非你不老實，事先練過。眞像一位道地的文藝復興時期的人物。我想我叫你倫納德（Leonardo）好了，而不叫你『冰涼』，這樣聽起來令人溫暖些。倫納德，在我走之前告訴我，你還做些什麼其他的事？」

這次已先有防備，康特的心中早已想好了回答方式，「菠娜，我與你初見面，但是，你想知道的話，總會自己找到答案的。對不對？」

「對極了。哦，順便問一句，倫納德，你到底有多大年紀？」

「這與上一個問題有關聯嗎？」

她承認道，「可以這樣說，你到底有多大？」

「將近六十歲了。」

「眞的？我猜你大概五十中旬，你看起來眞是體格很好。你做什麼運動，跑步嗎？」

「跑步？」康特盡可能在語氣中顯示出對這兩個字的不屑。他假裝不悅道：「菠娜，只要我一覺得想鍛鍊身體，我就立刻躺著，直到這種感覺消失。」

菠娜半信半疑，「這也太聰明了？你的話是不是編出來的？快承認，倫納德。」

「我剛剛想到的。」他停了片刻，然後咧著嘴笑道，「但這不是我編出來的。我記得最早說這句話的人，是芝加哥大學的前任校長。」

「儘管沒有獨創性，但你還算誠實。」

「當然我很誠實。難道你不知道所有的科學家都是誠實的嗎？其中只有幾位又誠實、又有創意。倫納德就是如此。」

「因我沒有比較的對象，所以我們換個話題吧。你什麼時候回學校？」

「星期天晚上，也可能星期一早晨。這是有史以來第一次沒有實驗室的壓力。」他邊說邊流露出得意的表情。

「這樣的話，星期天到我家來吧。我也露幾手本事。午餐還是晚餐？」

「那就午餐吧，」他停了片刻後回答道。

「嗯，」她頭也沒抬，邊低語邊在紙上寫下她的地址。

二個星期很快過去了，竟沒有再下過一場新雪。儘管依然很冷，但塞麗絲汀認爲這雪對一位徹頭徹尾的越野滑雪新手來說，是太硬了點。她對斯達福建議道：「我們坐火車去芝加哥吧。在我姨媽那兒過一夜。你會喜歡她的。她很特別。」

「她知道你會帶朋友去嗎？」

「還不知道，不過我想她不會在意，她非常好客。但我還是會警告她一下。」

「警告她什麼？」他咧嘴笑道。

「當然是你的吃相。」

「你的這位姨媽到底是做什麼的。有沒有位姨父呢？」

「沒有。她在波特蘭時曾與一位律師同居，我的這位姨媽在我們的家族裡算是個我行我素的人。但她現在獨自一人住在芝加哥。」

斯達福堅持問下去，「她到底是做什麼的？」

「她曾是波特蘭市最出名的室內設計師之一——布置華麗的辦公室，富有的別墅，翻新的舊居等等。」

「那她爲什麼搬到芝加哥來呢？」

「爲什麼？爲什麼？爲什麼？傑利你的問題也太多了。下個星期六你自己去問她好了。」

「柯里女士，你爲什麼搬到中西部這裡來？」傑利在感謝過菠娜·柯里的熱情款待後，馬上就問道。

「那你又是爲什麼搬到這裡來的呢？」菠娜對於她不想回答的問題，總是反問過去。

「你聽起來不像是中西部人。」

「我從南卡羅萊納州來。」

「而且是個受洗過的基督徒。」塞麗絲汀笑著說。

「那我們這位西部的唯一神教派的教徒，又從她的基督教情人那裡學到了什麼呢？」

塞麗絲汀接過她姨媽的諷刺口吻。「少來了。反而是我在教他。菠娜，你知道他們是如何教導年輕的基督教徒們關於生命的眞諦的嗎？他們說——」

「塞麗！」看得出來斯達福很窘迫。

「不要管她，我清楚我的這位侄女有多早熟。斯達福先生，說給我聽聽——。」

「請叫我傑利，」他插嘴道。

「那麼你就叫我菠娜吧。傑利，爲什麼你從南卡搬到這裡來？」

「爲了可以跟一位特別的教授攻讀博士。」

「你與塞麗一樣也是搞化學的嗎？」

「不，我跟隨康特教授，學細胞生物學。」

「我給你們兩位來點咖啡。」她突然站起來說。

當菠娜端來杯子和碟子時，她已回復了常態。

「你的這位教授一定是一位明星，竟能從遙遠的南卡羅萊納吸收到信徒，你剛剛說他的名字叫什麼來著？」

「康特，人們一般稱他『I.C.』。」

「『冰涼』的康特，爲什麼這麼叫他？他眞是這麼一位冷血動物嗎？」

「不是。」斯達福邊笑邊拼寫這兩個縮寫字母。

「那麼，你的這位康特教授如何？」

「他是一流的科學家——」

「不是指這個。」菠娜插嘴道，「他爲人如何？」

「爲人？眞是一個有趣的問題。他……他很精確，謹愼，小心。也挺坦率。他有不可思議的才能，能從一些所觀察到的孤獨分散的事實中，提煉綜合出一些理論與概念。我猜想這是在早年臨床實驗室和大量的設備儀器都不具備時，那些醫學上的診斷高手們所需擁有的一種能力吧。」

「不，不。我指的『爲人』，在實驗室之外的『爲人』。」

「那可就不好說了，我們對他實驗室之外的生活都不清楚。」

「難道他沒請你們到他家去？他的太太不爲學生舉辦任何聚會？」

「他離了婚。我從未聽他提到過任何其他女性的名字。你這麼一提，我眞從未到他家去過。」

斯達福沒有注意到菠娜．柯里的雙眼裡流露出來的頑皮神色。「你們竟對他一無所知，難道不令人驚訝嗎？說不定他過著雙重生活：他可能是個徹頭徹尾的好色男人……，或一位音樂家……，或一位骨董收藏家……，或所有這些再加上別的。」

「不可能。」

「你爲什麼這麼說呢？」

「I.C.不可能有這麼多的時間，你不知道這人要閱讀多少文獻，參加多少會議，擔任多少職務。他竟還能做一些實驗。他同時教書和寫文章。」

「同時像奴隸主一樣催促他的學生們。」塞麗絲汀補充說：「傑利不得不不分晝夜地幹活，一週七天，將近三個月的時間，我幾乎見不到這個傢伙。」

菠娜雙眼看著這位年輕人，充滿了疑問，「那又是爲什麼呢？」

塞麗絲汀不讓他來回答，「傑利不僅僅是康特的寵兒，還自稱是實驗室裡的能手。所以這位教授走到傑利面前說『傑利，我有一個奇妙的想法，需要實驗來證實。我要你到實驗室裡去，不完成實驗就不要出來。』猜猜我這位基督教情人是怎麼做的。」

斯達福試圖用手去遮住塞麗絲汀的嘴巴。但她一把擋開。「他眞聽從了他的教授所說的，而忘掉了他的情人。如果你不稱康特爲主人的話，我也要叫你，斯達福·傑利米亞博士，是他的奴隸。菠娜，這就是故事的全部。」

「你到底在研究什麼?確實很重要嗎?」

他點點頭，「是很重要。塞麗說的也都屬實。教授他認定這個實驗一定會成功，所以幾乎不放過我。我想，如果這個實驗我沒有做成功的話，他將……」傑利突然止住了。

「讓我給你們再加一點咖啡，」菠娜說道，「早先你提及他是一流的科學家。他有什麼出色的地方?」

斯達福露出了一個感到很有趣的表情，「他很可能會獲得諾貝爾獎。」

「行了，行了。」菠娜叫道，放下了咖啡壺——因她的雙手已在顫抖。

第十一章

當那篇關於腫瘤發生的文章在《自然》雜誌上發表後，索取抽印本的來函如潮而至，就連康特也感到吃驚。第一批索稿的人多是那些勤奮的工作者，這些人當最新的一期《自然》雜誌出爐上架後，就趕去圖書館期刊室追踪他們的研究領域的熱門消息。風平浪靜過後，在這一期《自然》雜誌的論文目次發表在《新近文獻目錄》（*Current Contents*）上出現後，郵件又如雪崩一樣，再次湧來。現今雜誌訂閱費昂貴，所以僅列出其他期刊所發表的文章題目以及作者的地址的《新近文獻目錄》，對於那些弱勢貨幣國家的科學工作者，眞是一件天賜的禮物。康特的秘書，因有位愛好集郵的弟弟，所以她也突然忙了起來，忙於將來自阿根廷、保加利亞、印度，還有好多其他國家來索稿的信封上剪取郵票。

關於他們的那篇文章，最令康特欣慰的莫過於一個電話了。在《自然》雜誌發行的第二天，克羅斯就從哈佛大學來電，他說對於這篇文章只怕連瑞典的斯德哥爾摩（Stockholm）也注意到了。「I.C.，如果我是一位妒嫉性很強的人，只怕就要眼紅死了。當然你淸楚我不是那人，」他的話語聽起來近乎使人信服。「既然我自己不能設計出這個實驗，你能夠完成我眞替你感到欣慰。」康特感到臉上掠過一股狂喜的熱流。克羅斯仍然滔滔不絕，「I.C.，你知道，那些瑞典人在全世界四處招攬人選爲諾貝爾獎提名，你過去一定也收到過這種表格，今年輪到了我。其實，提名表就擺在我面前。在提名一欄中，需要塡候選人生平簡介，出版文獻的目錄，以及一些其他的證實材料。你乾脆把你的有關資料寄一分給我吧，以減少我的麻煩，餘下的由我來負責處理。」

在這種場合，科學界的常規就是要求你表現出謙虛。拘謹地雙眼低看，或擺手一類的動作表示，在很多時候看起來顯得虛假，而用電話眞是恰到好處。

康特見機行事。「克羅斯，這眞是個不錯的主意。」心中卻暗道，這是我千載難逢的好機會。「主要是我的運氣不錯。我給你說過我的博士後傑利·斯達福沒有？此人眞有一雙巧手，你從未見過這麼好的實驗技術。沒有他，我眞不知道其他人是否可以把它完成。」

克羅斯咯咯一笑。「我們都有類似的千里馬，只是需要本事去發現他們。哦，早晚，總要有人來重複驗證你的實驗，你不如就讓我們來重複好了。而且，你最先是在我的午餐討論會上發佈你的構想的呢。」

「我還沒有開始寫有關實驗細節的文章呢。我認爲沒必要這麼急。」康特回答道。

克羅斯語氣平淡地說：「那倒也是，只要你不發表實驗的細節，便沒有人可以開始驗證。就直接將你們的實驗細節寄給我吧，這樣一來，你知道我們可以爲你們提供公正漂亮的『大證書』。」他接著說：「I.C.，告訴我，你到底用了什麼辦法，竟可以在兩周之內就發表了這篇文章？」康特心中非常得意，克羅斯竟連他的戰果中的這一細緻之處也留意到了。

攀登喜馬拉雅山的好漢們，在慶祝勝利時也是分秒必爭的。一手舉旗，另一手高舉破冰斧定形照相後，就得馬不停蹄地奔回登山基地，以免遭風暴的侵襲或氧氣供給的消耗。而登上科學的喜馬拉雅山頂則應另當別論了。直到二月中旬，近兩個月時間，康特一直處於慶功的高峰，忙於在講習班、報告會和座談會上講解他的理論和實驗驗證的大概輪廓。

而對斯達福來說，這段時間正是對利亞的「貝克丁分析法」的一個實際檢驗。在那些斯達福在場的報告會上，這位教授對其學生的感謝是值得效仿的。「如果沒有斯達福博士的實驗能力，我眞不知道我們能否能在這麼短的時間內就完成實驗驗證。也許根本不可能完成這個驗證。今天很榮幸他也在坐。」臉上隨之所帶的微笑誠心誠意，朝斯達福方向的點頭示意也分寸得當。而斯達福則一句不漏地數著並掂量著每一個「我們」和「我」。不得不承認，他很少講「我的」。也許正是這些「我的」使得餘下的「我們的」變成了皇家用的「我們的」，也即實指「我的」？利亞在牆上電話機的上方貼著貝克丁的名言：「語言中的用詞一半是別人的。」斯達福在心中罵道：「我快變成疑心病了。」平心而論，康特竟多次讓他起身回答與實驗有關的問題。他還要求他將實驗細節寄給哈佛大學克羅斯實驗室去重複他們的實驗。但是斯達福心中還是納悶，在他不能出席在場的那些報告會上，康特所指的「我們」

又會意指什麼，他又是怎麼回答實驗技巧方面的等等問題的。

令他感到生氣的是在西北大學舉辦的「昆蟲激素進展」的學術報告會上，是由塞麗絲汀而不是珍·阿德莉，演講了她們關於蟑螂激素的研究成果。當他坐在聽衆席中聽她演講時，心中回想起康特曾提到過將來要由他來做報告。但至今仍無蹤影。「我知道你將不會再重犯你第一次作報告的失敗，」當時康特這樣說，口氣裡不帶一絲的屈尊，「但是你心中一定明白……」顯然，斯達福明白不過：蟑螂與腫瘤不是同等級的東西，可這又有什麼關係呢？他們發表的第一篇文章便是他們對工作的貢獻的永久紀錄。所有在該領域裡工作的其他科學家都會引用它，而文章的作者，只有康特和斯達福二位。至少你——斯達福可以慶幸，自己沒有遭到許多科學合作者常受到的屈辱——他們的名字都被簡化成了「等等」。能避免在文獻作者名錄中被列爲相當於「無名氏」，便很值得感激不盡了。

儘管攀登上科學喜馬拉雅山高峰的勝利的品嚐能夠持續得長久一些，但終也有個結束的時候。包括康特和其他不屈服的助手，遲早也有遇到逆風的時候。二月的一個下午，第一片小烏雲出現在晴藍的天空上。克羅斯從哈佛大學打來電話說他的最佳助手大橋先生（Yuzo Ohashi）（他相當於康特的斯達福）未能重複出斯達福的實驗。這種失敗在他們的研究領域裡是司空見慣的。因爲康特和斯達福僅僅發表了簡短的成果而無實驗細節，就好像一個廚師在描述一盤好菜而沒有提供準確無誤的食譜一樣，克羅斯和大橋只是根據寄給他們的東西來進行這個實驗。很可能其中漏掉了一些重要細節。

「傑利，在你寄出之前應先看一看你的材料，」康特表示道，「但是當時我們正忙於慶祝勝利。請你寫一分詳細完整的實驗工作報告。這樣，下一次克羅斯的助理就可以重複你的實驗。」

利亞已在寫畢業論文，大部分時間都在家裡工作。一天早晨十點多鐘她起身走進廚房去添咖啡，見斯達福正赤腳站在水槽，穿著襯衫和牛仔褲。

「傑利，你知道現在幾點了嗎?我以爲你與塞麗早走了。」

「我今天不去。」

她定神關心地看了看他，「怎麼回事，病了?」

「也算是，但不是你指的那種。我必須爲 I.C. 整理提供很多材料。這得花我很多天的時間，而我又恨透了寫這類東西。」

「好幾天?」她倒吸了一口氣，「我以爲你們只要花幾小時就可以完成大作。你們在《自然》雜誌上的那篇著名的文章，難道不就是幾小時就寫成了嗎?或許是因爲你現在還沒有從你的教授那裡學會寫作的能力。」

「別開玩笑。」他愁眉苦臉地說道：「我要寫的不是那類給雜誌編輯的簡短通訊。我現在不得不拿出一本相當於菜譜的東西：不要講究形式，更不用提簡明扼要了。必須很精確：像『加幾滴塔巴斯哥辣醬油，浸泡入味，再燒至火候』是不行的。I.C. 要求我詳細描述我在這三個月裡所做的實驗，以保證哈佛的傢伙們可以重複出來。比如辣椒油是整滴的呢還是半滴，煮菜的溫度，還有煮的時間等等……，我必須在星期五交出來。」他鼻子哼哼地出氣。

「傑利，振作起來。我要給你和塞麗一個驚喜。她跟你提過克雷諾斯（Kronos）的四重奏嗎？」

斯達福滿面疑惑地看了她一眼道：「從未聽說過。」

「眞的嗎？我很驚訝，她竟然沒有跟你說過，反正是她自己的事，我不管。這樣吧，我弄到了三張本周六晚上他們在芝加哥演奏的入場券。我們要早一點出發，在那兒吃晚餐。聽說在海德公園有一家希臘餐館。」

「那麼老遠到芝加哥，僅僅爲了一場演出和一頓希臘餐嗎？到家不是很晚了。」

「你難道眞不知道這個星期六是什麼日子？」利亞開始有點不高興起來。

「不知道。」

「是塞麗二十五歲的生日，別說你忘了這回事。」

「我沒有忘記，而是我根本就不知道，她從未提過。」

利亞感到很難堪而無趣，斯達福垂頭喪氣地道：「謝謝你告訴我。」

「哎，傑利，打起精神來。這下你可以藉此機會來表示你的愛意，給她個驚喜。再說，寫了一個星期後出去走走對你有好處。」她安慰道：「在回家的路上，你們可以在車上睡覺，或幹其他的勾當。」

「你的車太小，幹不了『其他』的勾當。」斯達福迅速地從低落情緒裡振作起來。

「你會想出點子的。」

星期四的早晨，六年來從未缺席的斯達福打電話來請了病假。他打電話的時間，正是在秘書已到而教授未到的那個十五分鐘之中。

這個消息令康特很不悅，康特正需要斯達福來爲克羅斯準備那個實驗報告。這位康特在實驗室裡隨叫隨到；這位提起休假就面帶譏笑，十足地表現出康特所特有的男子漢氣概的斯達福，偏偏選這個時候來生病。隔週星期一的早晨，當他被告知斯達福竟在南卡打電話過來請假，說他的祖父突然心臟病發作時，康特的不悅極度的惱怒。他咕噥道：「這個傢伙的忠誠哪兒去了，是效忠於他的祖父呢，還是這個實驗室？」

康特的這種粗魯實屬罕見。他沒有因此而讓克羅斯等候，康特選擇了一條草率但方便的辦法。他複印了斯達福實驗紀錄本中所有有關的那幾頁，加了一封解釋說明的信後便準備寄到哈佛。

複印斯達福的實驗紀錄本並沒有什麼不妥的。一個科學工作者的實驗報告並非私人的日記本，它的存在，就是爲滿足他人檢查的需要。筆記本千篇一律，就是可以在大的文具店裡買到，裝訂結實，頁數已印好在上面。筆記都記錄得很清晰，所有的東西依時間先後順序被整齊、認眞、完整地記錄下來，可以讓他人重複。就像喜馬拉雅山登山的領隊們，固執地強調那些看起來枝節細微的事情一樣，康特對實驗筆記本的要求也是這樣。所有的東西都必須使用鋼筆而不是鉛筆記錄，甚至連所有計算的細節也必須記錄在內，而不允許在紙片上記錄。每一個研究所新生都被告誡：「你絕不會在筆記本上記得太多，你只會記得太少。誰也說不准，那部分的細節也許會變得很重要呢。」當學生們畢業離開實驗室後，筆記本必須留下來。在康特寬大的辦公室裡，就有一個上了鎖的書櫥，裡頭裝了二百多本這樣的筆記本，編排得詳細認眞。這是二十五年來實驗工作的證明。

康特所見到的斯達福的筆記本令他非常不悅。實驗的操作方法倒還在，但具體細節卻不足。因爲斯達福在康特的實驗室裡是如此的傑出，以至於康特從不需查問他的實驗結果，更別說檢查過他的筆記本。一整個上午的著急煩躁後，他決定給南卡的斯達福打電話。這又讓他很煩躁。秘書史蒂芬妮沒有他在南卡的地址和電話號碼，他厲聲命令道，「那就給我他家中的電話號碼。」

前二次電話沒有人接。直到晚上時才聽到一個女人的回聲：「喂。」

「你好，這是斯達福博士家嗎？」他簡短地回答道。

「哦，他是住在這裡，但他現在不在，他到別的地方去了。」利亞回答說。

「你是否有他的電話號碼，我可以找到他嗎？」

電話裡傳來的康特的聲音透露著不耐煩，這引起了利亞的好奇心。「您貴姓大名？」她回道。

「我叫康特。」

「哦，請等一下，」利亞大吃一驚。她已多次聽說起這位教授，但從未具體感受到此人的存在。她用手遮住電話筒。遞給塞麗並警告地說：「塞麗你最好接一下。是康特要找傑利，他的聲音聽起來很冷。」

「康特教授，我能爲您效勞嗎？」塞麗絲汀問道。

聽到這種稱呼令他很感舒暢，每當他發現對方在沒有經介紹之前，就知道他是什麼人，都會有這種感覺。

「我是塞麗絲汀·布勒斯。」她補充說後，就停止下來。心中暗想，倒看看傑利可曾在他的教授面前提及過她否。不料康特竟沒有反應，她的名字聽起來模糊熟悉，但他的腦子裡塞滿了心焦的事情。「我是……」她遲疑了一下，然後接著說道：「傑利的另一個室友。」

「不知道你能否幫我。」康特把其助手的私事一股腦丟開，「我有很緊急的事要找傑利。你是否有他的電話號碼？他的祖父似乎在南卡心臟病發作了。」

似乎？塞麗絲汀注意到了這兩個字。上個星期五晚上，當她從實驗室回到家，發現傑利送的一束鮮花和一封信時，也用了這兩個字。這是他送她的第二束鮮花，然而這封信的內容卻與上封信大不一樣，少得可憐，裡頭只有一張平淡無味的生日卡片，上頭畫了一艘小船和遠岸上的一個小人，印有「對不起，我沒有搭上船，生日愉快。」這句話的下方有幾個手寫的字。

我的祖父心臟病發作（不很嚴重！）我因此請假到南卡去幾天。有事可打（803）555-7182聯絡，很抱歉，不能與你們一起去芝加哥，以後再彌補。愛你，傑利。

塞麗絲汀抱怨道：「快看看這個拙劣的生日卡。既然這個心臟病似乎不嚴重，爲什麼不可以等到星期天才走？他甚至可以在芝加哥搭飛機走嘛，我從未聽說過他有一個祖父。」

「塞麗，每個人都有祖父。」利亞從塞麗的肩膀上往下看了看這張卡片。「可憐的傑利。但不用擔心，塞麗，我們自己慶祝，我決不讓任何人掃我的這位化學家的興。」

她們畢竟還是過了一個值得紀念的日子。希臘餐館裡的招待眞好。克雷諾斯的四重奏演出了精湛的現代維也納之夜的風味——有塞恩貝格、威伯恩和伯格的作品。塞麗還多了一個意外收穫。

音樂會在一個帶有包廂的大廳裡舉行，她倆就坐在包廂裡。利亞眞是考慮得非常周到，甚至還買了一副專供看歌劇用的望遠鏡，可以將音樂家們一覽無遺。這個因衣著別出心裁而呈顯特色的四重奏，可與塞麗絲汀從格雷姆·盧弗金那兒聽到關於音樂圈的軼文韻事相比擬。

在中場休息燈光大亮時，塞麗絲汀說道：「望遠鏡遞給我，我很喜歡看人。」她用望遠鏡慢慢地掃視著觀衆，突然她呆住了。「我眞不敢相信，菠娜在那邊。」她湊到利亞耳邊說，聲音小得令利亞也聽不見。

這分吃驚不是出自於發現菠娜也在場，塞麗絲汀早就知道她姨媽的音樂愛好。早在第一次聽克雷諾斯的音樂會時，當四重奏的大提琴手珍·珍妮雷羅德（Joan Jeaneraud）上台露臉時，她就對盧弗金講起過菠娜。讓塞麗吃驚的是菠娜·柯里身邊的同伴康特。儘管她與康特從未直接會面，但她與傑利一起聽過他的課。

而兩天後的現在，她竟在與康特交談。誰又能想得到這個人過著雙面人的生活？那傑利呢？他的這次南卡之行眞是太突然。

「是的，」她告訴康特，「他的祖父似乎是心臟病發作，他告訴我並不嚴重。我這就去拿他的電話號碼。」

「我想你的祖父現在已好一些了。」康特不容回答。「傑利，你知道克羅斯正讓他的一個博士後重複你的實驗。你也清楚他們遇到了麻煩，我不能要他們爲實驗細節等得太久，眞得感謝上帝，還沒有人重複這個實驗。別人不見得會這樣周到，讓我們知道他們重複這個實驗時遇到了困難，他們可能直接就發表說這個實驗的重複遭到失敗。我原想將你的實驗報告本複印寄給克羅斯的。」

康特所能聽到的只是低微的一聲：「是嗎？」

「我已有好幾個月沒有看過你的筆記本了。」

在康特繼續講下去之前，斯達福已迅速發起了攻勢。「哦，你根本不需要這麼做，難道不是嗎？我們那篇《自然》文章除外，我們前兩篇文章都是由我寫初稿，你要看的只是我的初稿而已。」語氣中的「我們」二字一點也不含糊。

「對，我知道。」康特起先語氣中的指責被壓了下去。與那些自己從未寫過任何稿件卻又總在出版的文章裡掛名的人物不同，康特幾乎都是自己寫初稿。在多次場合，他很自豪自己與那些非作者但總在作者名單裡出現的那些人物的不同之處，康特對於這種行爲的指責是很嚴厲的。他認爲，如果某人的名字在文章上出現，就應該爲其中的一切負責。而最好方法莫過於自己動筆寫文章。然而現在康特——這位謹愼的超級明星，這位爲了維護在實驗上和寫作上一絲不苟的嚴格質量標準，而抵抗著龐大的研究隊伍的誘惑的人，近年來竟也對傑利米亞·斯達福打破了規矩。

康特轉用道歉的口氣說：「傑利，我不能直接將你的實驗報告的影印稿寄給克羅斯，有許多細節遺漏了。你沒有標明在最初提取時所用的緩衝液；沒有提及高壓液相層譜分離時所用的層析柱子；你也沒有讀精氨酸酶的來源……。」

斯達福強硬打斷地說：「但是I.C.，這都是雞毛蒜皮的細節，常規的東西。你也清楚當時我在工作時間的壓力下完成的，」且聽得出他在「我」字上加重了語音——「用三個月的時間，壓力很大。我想當時急急忙忙，只是記了個大概。星期三我回來後會補上那些漏掉的細節。星期五早晨你一上班就可以拿到。」

這正是康特所想聽到的。給克羅斯的信件第二個星期就寄出了。

三月中，康特的快樂王國上空的那一片烏雲沒有變大，也沒有變得更黑。但是，就像喜馬拉雅山頂的氣候一樣，科學天空的氣候變化無常：眼下的情形，只需要一個電話就足夠了。

「I.C.，不用擔心。」克羅斯先天眞樸素地開場，「我是說，還不用擔心。」稍稍停頓了一下，又說道。這個停頓很短，只有那些對克羅斯演講格外留意的人才可以聽得出弦外之音。

康特幾乎答不出話來。等明白了庫爾特的所指，他才問：「克羅斯，你指的是什麼意思？」

「我的博士後——大橋——你記得嗎，就是正在重複你的實驗的博士後？他是一位出色的酶學家，對他的能力不容置疑。現在他已試了兩次了，至今仍未能在最後結果裡檢測精氨酸含量的升高，如果這個氨基酸含量沒有升高，那你又從那裡得知……。」

康特打斷他的話，「我心中非常清楚這意味著什麼，又將意味著什麼。克羅斯，我將親自與斯達福一起來重複這個實驗。然後邀請大橋到我實驗室來與我們一起驗證。」

「我就知道你會這麼說的。」克羅斯口氣聽起來像已打消疑慮同時也令人消除顧慮。

「I.C.，不要擔心，目前我們不會發表任何東西。但是你還眞是走運，至今尚無其他人在重複你的工作。你還沒有將實驗的細節寄給別處吧？」

康特心中納悶，爲什麼他顯得那麼周到有禮，「當然沒有。」

「如果是這樣的話，那就不用爲它擔心。」

他們都清楚這個「它」的涵義。在這一段時間內，這個「它」是衆所周知指著名的「康特—斯達福實驗」。以原作者的名字來命名實驗和理論是科學史上的最高榮譽。譬如，波義耳（Boyle）定律，阿弗加德羅（Avogadro）常數，還有那個米立坎（Millikan）的流滴實驗，儘管其數據的處理不那麼穩靠，他還是在一九二三年獲得了諾貝爾獎。然而這樣的榮譽如果沒有其他獨立的驗證，是很少被授予的，而這正是克羅斯打算提供的。同時，這個「它」也可能指「康特—斯達福」的大敗筆。至少在它還沒有與同領域的其他失敗的實驗一起被人遺忘前，那一至兩個月的時間內，將是如此。「你最好快一點。」克羅斯重複提醒他，「因爲一旦你寫出詳細的過程，出版發表後，也許會有人在其實驗室裡研究它。」

儘管現在康特還沒有開始寫那份細節性的文稿，他也不需要別人提醒他關於時間的重要性。幾分鐘後，斯達福被召集到教授的辦公室裡，房門依舊關上。「傑利，你猜猜克羅斯是怎麼說的？『不用擔心，……還不必』，哎，我倒開始擔心起來了。」康特緊盯他的這位年輕合作者的雙眼，但斯達福的眼神還算從容。

「你打算怎麼做？」這位年輕人輕聲地問。

康特爲斯達福感到難過，在此情況下，他想催促他而不是使他喪氣。「我們將一起重複你的實驗。不在大實驗室裡，就在我私人的工作室。這次我不準備碰運氣。任何細節都必須在掌控中。一定是像經常發生的情形那樣：由一個不起眼但很關鍵而我們又沒有發現的細節所引起。這次，你在我面前做每一個步驟。這樣，我們就可以找出你報告中所遺漏的細節。我絕不容此類事情使得整個理論質被質疑。我們這就去實驗室幹活吧。」

康特在巴黎巴斯德研究所的生活至今使得他偶爾冒出幾句法式妙語，然而此時此刻，已通過了博士學位的外國語公式翻譯資格考試的斯達福，卻並不那麼認爲。

爲了斯達福暫時搬進教授的私人實驗室的事，在研究小組裡引起了不小的議論，甚至還有人幸災樂禍。克羅斯當初未能重複出《自然》雜誌那篇文章裡簡述的實驗，這事雖沒有在每周的小組討論會上討論過，卻也非秘密。從未有過學生和研究人員到康特的私人實驗室裡去工作過。如今這位教授的金髮寵兒在頭頭的雙眼注視下重複他的玄妙實驗，並非是好事。

在教授的私人實驗室裡工作的日子過得飛快如梭，也毫無阻礙產生。當然所有的一切都取決於下星期一的氨基酸分析結果。星期一早晨當康特神色緊張、心事重重地到達實驗室時，他見到的是自信、自尊的斯達福。接著的幾個小時之內，康特心情特別高興。分析結果如所預料：精氨酸的含量比控制對照樣品高出六倍。

在午餐時間康特特別召集的小組會議上，他宣布道：「我要利用此機會，再次感謝傑利的神奇的雙手。」

幾雙眼睛頓時望向天花板，有幾張臉露出幾分獰笑。但當聽到康特的下文時，所有的眼睛又都平直起來，獰笑也消失了。「我也鞭責他，希望大家從此吸收教訓。」隨後他正式發布了此事的來由：哈佛大學克羅斯實驗室未能重複康特—斯達福的實驗。「但是，」他的左手拇指凱旋性地豎了起來，「我們現在重複出來了。」他先講解工作的細節，以及猜測哈佛那邊失敗的原因，最後總結道：「每個人都應汲取關於實驗紀錄本的教訓。」一半以上的人都可以猜到他的下半句話的內容。「在報告本裡寫得愈詳細愈好，但是……」

當康特回到辦公室時，他踩到了從門縫內塞進來的一個寫有「機密」的信封。信的內容只有一行字，沒有簽名，是打字的：

「爲什麼斯達福博士星期天晚上單獨在你的私人實驗室裡？」

第十二章

對康特來說，這眞是個難題，不論寫這封匿名信的動機是出於職業性的嫉妒還是其他更嚴重的原因。星期日仍照常在實驗室工作的那八、九個人都有可能寫了這封信。適當的做法應該立即召集斯達福到辦公室來對質，然後，在他不在場的情況下自己重複這個實驗。如果失敗了，就如實告知克羅斯。如果還嫌創傷打擊不夠的話，他可能要按常規履行一種公開的苦行：即在《自然》雜誌上發表一篇文章，聲稱撤回康特—斯達福的實驗。事情的結尾將是「等候實驗的證實」。對於不同的作者，這個撤回將有不同的效果。如果只有康特一人署名，衆人都會懷疑是實驗結果有虛假。如果有兩人的名字，則可能被認爲是由於草率，或因實驗結果的重複性不好。無論什麼情況，被撤回總不是一件令人愉快的事，如果康特決定承擔，那麼他的腫瘤理論將會在腫瘤領域裡被嗤之以鼻。

至今爲止，康特從未撤回過一篇文章。他從不發表無法在其他地方被重複的實驗工作。像今天這樣的過失，儘管是由年輕的合作者所犯，也不容原諒。畢竟康特是此文章的作者之一，即使他的名字排在後面也是一樣，資深的作者總要負責任。康特想起當初他聽到他的著名同行那件羞辱的事時，自己那忍不住的痛快，不禁感到一陣顫慄。那位康乃爾大學老實、謹愼的教授，發現合作者的數據有假後竟撤回那篇廣爲影響的文章。直到康特看到他的官方撤回信時，才感到對他有點同情，同時也爲自己對於實驗室裡不會出現這種難堪事而感到驕傲欣慰。

考慮到這些利害關係，康特決定不論是對斯達福還是對克羅斯什麼都不說，他認爲如此可以免受誹聞的打擊。但是沉默只能給他帶來很有限的時間。在這段時間內，他必須驗證他自己的理論，或者放棄。再花數周寶貴的時間來重複斯達福的實驗是決不可能的，因爲，如果再次失敗，那代價就太高了；而換一種做法放棄他的理論，肯定是無法接受的：他的理論眞是太奇妙了；他打心裡感到，那理論絕對錯不了。早在發現踩在他腳下的那封匿名控告信之前，康特就已在琢磨第二個實驗以能提供獨立的驗證。這個實驗風險很大，絕不像康特—斯達福實驗那麼直截了當。但是現在利害關係太大，事關諾貝爾獎。這次他將不去檢驗氨基酸中精氨酸含量的明顯增多，而是集中注意力來檢驗作爲合成含有精氨酸蛋白質的模板的核糖核酸的情況。由於有諾貝爾獎的誘惑和收回文章的憂懼的鞭策，康特一頭埋進了他的實驗室，這次他很小心，隨時將門上鎖，就連去廁所也不忘鎖門。

康特的突然閉門不見，不僅僅對斯達福，甚至連其他同事們都感驚訝和不便。過去，大多數學生——尤其是斯達福——私下裡對教授在他自己實驗室裡所做的東西都很淸楚。雖然沒有公開說過，但在以前，斯達福就認爲：如果不是只弄著玩玩，康特的這種偶爾入侵自己的實驗室，就應屬於消磨時間而已。教授曾告訴他，只有眞正完全的投入，才能得到有價值的結果。可如今，斯達福每次要求到康特的實驗室裡去見他時，得到的卻是教授的秘書斯蒂芬妮從未有過的回應：不是像以前招手讓他進去，而是「對不起，傑利，康特教授正在做一個非常重要的實驗。我只能幫你傳個口信。」斯達福感到他過去的那種特權已不復存在。他不清楚，取而代之的又會是什麼。

斯達福正在懶洋洋地翻閱著新出刊的《生物化學期刊》（*Journal of Biological Chemistry*）。塞麗絲汀明顯地感到他的心不在焉。她靠著沙發，用手撥弄著他的頭髮，「傑利，怎麼回事？」斯達福臉上的神色充滿了悔意和痛苦，使她很吃驚。

這二周內她已經問過類似問題，但他總是搪塞迴避。他不是那類容易吐露心事的人。可今夜正當她意識到事態的嚴重時，她得到了回應：也許是她的關心感動了他。

「塞麗。」他低咕了一聲，又停了下來。淚水自他的雙眼流出。

「傑利，不要擔心。」她低語道，用手指擦掉他的眼淚。她控制著自己問下去的衝動。「每個人都有難過的時候，等你感覺好一點時再說吧。」塞麗絲汀用手摟著他，將他的頭靠在她的肩上，慢慢地梳理他的頭髮。

他聲音低沉地說：「塞麗，我必須承認一件事情：我的祖父並未心臟病發作。」她的手指梳理他頭髮的節奏竟一點都沒亂，「我也是這麼想的。」輕輕地回答說。

「你？」斯達福試圖抬頭，但塞麗絲汀把它按回到她的肩膀上。「爲什麼？」

「你的行爲非常反常：你匆匆而走，還有你留下的那束鮮花及那張卡片，都與你送我的唯一一束鮮花大不相同。我永遠也忘不了『不變的紅艷』，『君主般的儀態』，『標致的腰窩……』」

斯達福似乎沒有聽見，「爲什麼我回來時你不問我呢？」

「我又能說什麼呢？質問你爲什麼說謊？我猜出一定是事出有因。我想遲早你會告訴我的。」

他低頭看看她，「塞麗，你眞了不起。」他吻了吻她的雙頰，「如果我們互換角色的話，我的表現將完全不一樣。」

他臉上又恢復了痛苦表情，「記得我告訴過你，哈佛大學的克羅斯，那位I.C.最佩服的人物，他的一個博士後不能重複我們的實驗。」

「對，但是——」

「塞麗，讓我講完。這事情很嚴重的，可以說是I.C.實驗室裡最大的一件事。我在做筆記時不夠認眞仔細。……」

「傑利，你工作得夠努力了。在那段時間內，我們幾乎都沒時間在一起。」

「我知道。」他似乎並不在意她故意提起此事。「I.C.對這件事特別在意。我知道，克羅斯實驗室無法重複我的工作對I.C.打擊很大。還記得他爲了讓克羅斯印象深刻，故意在《自然》雜誌上發表我們的文章，而不在《科學》雜誌嗎?現在他竟自責沒有在PNAS上發表。他說，『至少我們必須寫進實驗的細節。』我心中明白他指的是什麼，因爲他對實驗室裡的每一個人不斷強調，『詳細地寫下實驗工作的細節，以便他人可以重複出來。』那些話全是針對我而講的。當時我擔心不能回憶出所有的細節，哈佛實驗室就會再次失敗，所以我臨陣逃脫，跑到了南卡，你知道帶給我的是什麼?」

「你回來後告訴我了:是康特的電話。說眞的，我當時也很生氣。」

「整件事與我們倆之間沒有關係。不是康特打的電話，而是I.C.說的他要複印我的實驗筆記本寄到哈佛去。」

「那又怎麼了?又有什麼了不起。我也認爲這是最簡單的解決方法。」

「不!」他的激烈反應震動了她。「我告訴過你，我的筆記實在潦草簡陋，如果克羅斯再次打電話來要細節的話，我會很難堪的。」

「可是，克羅斯還是打了電話來了。」她輕輕地回答道。

「對呀，我簡直無法形容當時I.C.叫我到他辦公室去時我的難受感覺。那些字眼仍在我腦子裡迴響『不要擔心，……，還不用呢。』我從未見過康特在任何一個學生或博士後面前發過脾氣，如果他這次對我發了脾氣，我也不會怪他。可他卻沒有，他只說一定是遺漏了一些細節，於是我們一起在他實驗室裡重複這個實驗。你明白爲什麼大家願意跟他一起做的原因嗎?」

「我眞不明白他心裡是怎樣想的。」塞麗絲汀在沉思。

斯達福似乎沒有聽到。「我從未跟你提過這幾個星期裡我的感受。」

「傑利，不用了。我能夠感覺到，可又怎麼樣呢？目前爲止一切都還好，難道不是嗎？」

斯達福搖了搖頭，「我也以爲會有一個好的結束。但沒有。近三週來，I.C.完全變了一個人。他過去喜歡在實驗室裡逗留，做一下我們正在做的一些實驗，重複、或試試新的東西，做個兩天，然後交給別人。說眞的，他能這麼做眞不簡單。克羅斯和大多數那個等級的人物已有多年沒有弄髒過他們的手指頭了。」

「那麼到底發生了什麼事？」她的口氣裡流露出好奇和關心。

「他把自己鎖在他的實驗室裡。已有幾個星期沒有告訴過任何人他在做什麼了。他無視於大多數人，尤其是我。I.C.曾經每天到大實驗室來走走，問問大家在做什麼。我總希望他不要把我們催得太緊。而現在呢——」他的聲音到幾乎聽不見了。

「傑利，爲什麼你不直接到他的實驗室裡去問問他?你常告訴我這個人有多麼開明。」

「門是鎖著的。」

「你不是在開玩笑吧？」聽得出她聲調中的輕快是強迫出來的。「那麼就敲門，直到敲開爲止。」她無用地建議道。

「塞麗，我不敢。」

「傑利！」她伸出雙手去撫摸他的頭髮，但他搖開了她的雙手。

他小聲說道：「我告訴你爲什麼吧。我想他在重複我的工作，所以他不要我在場。」

「倫納德，我所認識的人之中，大概你是唯一沒有電話答錄機的，希望沒有打擾你。你現在變成了一個陌生人了。」菠娜·柯里擅長於將不悅和不滿隱藏在輕鬆的交談中，但這次她話中的鋒芒流露了出來。她已邀請過康特午餐；花錢買了票一起去聽克雷諾斯的音樂會，而且當他們的室內樂隊在她寓所演奏時暗示他留下來幫忙清理打掃。有生以來她是第一次遇到這樣一個不知好歹的男人，愚蠢痲木。他似乎特別痲木，該輪到他來主動表示一下了。等待了三個星期的時間沒有接到他的電話後，她決定再試一次。

「你難道不知道要在這麼短的時間裡找到一個小提琴手有多麼困難嗎？甚至比找一個大提琴手更不易。這次如果不是爲了你喜歡的波切雷尼的作品……」

「得了，不要告訴我：索爾說了有多少三重奏譜曲是專給二位小提琴手和大提琴手演奏的三重奏譜曲。」康特搶先出擊。

「Mais Oui, Monsieur.」她立即以康特鍾愛的法語句回答，「準確的說四十首，索爾眞是了不起。倫納德，海頓譜了多少三重奏曲？」

「二十一首。」他立即答道。

「非常正確！可你又是怎麼知道的呢？」

康特哈哈一笑，「如果我不是一位誠實的人，我就會回答說『難道不是人人皆知嗎？』」

「但是就因爲你很老實……」

他補充道：「而且也有創見，所以我承認這些音樂知識是從我們那位第一提琴手那兒聽到的。上一次我因故未能演奏，他抱怨道，除了莫札特的套曲外，他家裡只有幾首海頓的三重奏適合二位小提琴手和一位大提琴手演奏。他一點也不需我提示就宣布道：『你知道海頓作了二十一首曲，其中的三首已遺失了？』菠娜，告訴我，你近來怎麼樣？」

「倫納德，我很想你。我眞希望你能打電話來。」過了好一會兒，他說：「我也是。」

她心中納悶，他這是模稜兩可呢，還是有點害羞？哎，見他的鬼，她決定：我乾脆就裝糊塗吧，她高聲問道：「也是什麼呀？是你也想我呢，還是你也希望我給你打電話來？」

「兩者都是。」

「那爲什麼你不打來呢？我原以爲你週末都是回芝加哥過的。」

「我本可以給你打電話的，只是前幾週我眞是忙瘋了。我每天都在實驗室裡幹活，晚上也是，……」

「我以爲你有大群效忠的奴隸們可以任你使喚。」

「菠娜，我們稱他們爲合作者，同事，同行……」

「教授，對不起。」

「我這個工作完全由我一人做。這也許是我一生中最重要的一個實驗。」康特心想，我終於說出了這件事，瞧我挑了個什麼人作爲我的紅顏知己。「請不要跟任何人提起。」他趕忙又說：「也許最終無足輕重，事實上，如果實驗不成功的話可能輕於鴻毛。」

菠娜·柯里給震住了。有多少位男人會一時衝動說出他們正在做一件畢生中最爲重要的事情？「不知道那位達芬奇有沒有說過在他畫蒙娜麗莎時受到一位傻女人的干擾？聽著，我的倫納德，我當然會保密的。但將來有時間你可不可以詳細講給我聽聽？」

「可以。」

菠娜對他爽快的回答很驚訝，立刻問道：「什麼時間？」

「這個星期天，你能否開車到我這裡來？休息一下也許對我有好處。你能來吃午餐嗎？」

「噢噢，當然，我一定來。」此刻四十四歲的菠娜感覺就像一個少女第一次被邀請去參加一個成人舞會一樣。

五月二十四日星期天，與平常的中西部的天氣一樣，上午像春天，到中午則是炎熱的夏天了。第一次拜訪康特的家，天公作美，使菠娜可以以他所未見過的裝束打扮起來。她感到裝束大膽一些沒有什麼不妥。所以她刻意在衣櫥裡挑選了最透明的絲襪、紫紅色的齊膝短裙，左邊開了一道小縫；一雙 Charles Jourdans 高跟鞋，更顯出她那慣於行走的小腿。那高跟鞋使她更顯得比康特高，但並沒什麼關係。如果她比康特高那麼三、四英寸，又怎麼樣呢?還在老早以前，她就已習慣於自己高過大多數男性同伴。如果康特介意如此，他應早有所表示。在穿衣鏡之前，她解開銀灰色上衣的上兩個，然後第三個鈕子……不好，她最後決定鬆開兩個爲最佳，沒有必要做得過火。

菠娜早到了二十分鐘，所以決定先在城裡開車轉兩圈，看這四方延伸開的校園，它佔據了該城市的地理和經濟的主要位置。她在康特住的種滿了樹的那條街上慢慢開了過去，觀察那些舒適的房子，用心整理過的草坪，而且沒有柵欄，完全一式的建築。她感到很吃驚。她料想康特的住所不是這種高大、潔白，建於二十和三十世紀的二層樓房。她手提東西，沿著紅松圍繞的小路走上台階，直到門口，發現一個寫有她的名字的信封。裡面寫著：

菠娜，我必須去實驗室裡察看一下結果。鑰匙在門口的鞋墊下。我很快就會回來。倫。

這是她第一次收到康特給她的條子，條子上簡短的簽名，使得她特別高興。

菠娜·柯里可眞是一位內行的室內裝潢家。當她首次到新的顧客或任何人家裡拜訪時，她從不進行察看，至少表面是如此。但是她的雙眼就像一個帶有廣角鏡頭的自動照相機，隨時攝下，並進行比較，將所攝錄的圖像歸檔存入她那驚人的記憶倉庫裡去。現在獨自一人在康特的房子裡，這是她第一次可以慢慢地觀察而毋須裝做漫不經心。她發現她自己也弄不清她期待著發現什麼。康特在芝加哥的臨時寓所給她提供了對英式家俱的鑑賞，可以說他是一個富有又極有鑑賞力的人。在那次波切雷尼——貝多芬演奏之夜，她提到空白的牆上沒有一張畫，似缺少了點什麼，他立刻回答說：「我不在乎，也一點不懂得英國人的獵景畫。我所喜歡的英國畫家中，可以與這十八世紀的裝飾相襯的只有何卡斯（Hogarth）或羅姆尼（Romney）。羅姆尼的肖像畫會非常適合，因他父親是一個木匠。」康特聳了聳雙肩，「可是買不到。如果有，我也不可能買得起。一幅小小的雷諾茲（Reynolds）或蓋恩斯伯勒（Gainsborough）的作品也還湊合，所以，我寧願只擺上我的書籍，當然——」他指著窗戶，「還有這裡的風景。」是不是那樣的風景在這裡找不到？菠娜·柯里看看客廳裡牆上的藝術品心中猜測道。眞是奇妙無比。她拉開窗帘，讓光線照了進來。

當康特走過客廳的門檻時，見到了她，他是從車庫的小門進來的。菠娜正單腿跪在一把罕見的山毛櫸木的膝椅上，雙手靠在高高的靠背上，當她身體前傾去查看牆上的水彩畫時，裙子繃得緊緊的。康特給驚呆了。不僅僅是由於菠娜的身姿，還因爲強烈的日光，因光線極不利於他稀貴的水彩畫，對他來說是種該詛咒的東西。「你好，菠娜，」他終於用法語說「歡迎駕到。」

菠娜驚嚇地站了起來，「哦，I.C.，我沒有聽見你走進來。」她打開雙手。握握手，或在過馬路時扶扶她的手肘，是至今他們之間僅有的身體接觸。她脫口而出：「倫納德，爲什麼你以前沒有提及這個？」她朝四周揮揮手，「眞是驚人心扉，尤其是在這個房子裡！」

「這個房子，又指的是什麼？」

「哎，對不起，你明白我的意思。外表看起來眞是令人肅然起敬的房子，但是……」

康特微笑著，「說下去，」

誰想到會有這麼把椅子？我想不起它的名字，叫……一種什麼坐器……」

「坐之機（Sitzmaschine）。」他答道。

「噢，這間房子是純正維也納式：約瑟夫·霍夫曼（Josef Hoffmann）！科洛·莫塞爾（Kolo Moser）！看看這把奇妙的莫賽爾（Moser）書桌，那鑲嵌的銅圖案！倫納德，怎麼回事？你有十八世紀英式家俱，有維也納的Jugendstil，但這個，」她咧嘴笑著，用手指了指牆上。「這個眞不賴，在芝加哥你竟敢跟我說你的牆上沒有任何藝術品，說你買不起與之搭配的羅姆尼（Romneys）。可我在這裡又看到了什麼？配套得體的雪萊（Schieles）。」

「這？」他假裝天眞無知。「雪萊一九一八年死於維也納。這個房子與他的工作的地方及生活年代相符。總之，我就是喜歡他的作品，更甚於其他現代派畫家的作品。我回答了你的問題嗎？」

「回答了嗎？」她回應道，「想想上個月在維也納室內音樂會上，我給你上了一整堂音樂節目課，而那些音樂說不定就是在這間屋子裡作出來的。你卻竟沒有說出一個字！」

「菠娜，講理一點。」他抗議道，可以看得出他很開心。「你要我說什麼呢？說這個節目使我聯想起家裡來，在家裡我靠坐在坐之機上，細看雪萊的作品，聽舒伯特的音樂？」

「你有時就是故作聰明。」她晃了晃手指，裝出責備的樣子。「當然，這與我無關，可你又怎麼能夠買得起這些，」她開始數起來，「至少七件雪萊的作品。」

「它們都不是油畫，」他故意貶低地說：「只是一些水彩畫和素描。」

「只是？」

「我是在六〇年代時買的，現在當然買不起啦。」

「你難道不擔心有人會偷走這些嗎？」

「基本上不擔心。」他乘機拉上窗帘，「它們都已保險了。再說，我很少有來客。而來訪者又都幾乎沒聽說過雪萊。直至今天，才有你這麼一位。我剛剛見你正在研究這一幅。」康特用手指了指牆上，「有什麼特別的原因嗎？」

她直視他的雙眼，感到是建立平等地位的時候了。「是的。這是這裡所有當中最性感的一幅。儘管這一對都穿戴整齊。他們的眼睛像是被什麼所纏綿。看起來像是因意識到什麼而很震驚——就好像有人剛剛抓到他們在……」她遲疑了一下，她是否應該說「性交」，或「做愛」？

康特爲她解了圍。他走到牆邊取下了畫，他提議道，「這樣子看。」他豎直舉起來，看起來女人站著，男人緊緊抱住她的腰肢，頭靠在她的腹上。然後康特將畫側過來：這下女人看起來背朝下躺著，男人在上就好像正在縮回去。他也許正在繫腰帶呢。

「奇妙無比。」她接過畫，親手試了試——先看看正面，再看看側面。

「你認爲那種方式更……」

「更使人興奮？」她插嘴說：「哦，毫無疑問，當然是豎著的。」

康特看著她，雙眼充滿了疑問，「你聽起來很有自信，爲什麼？」

「其一，他們都站著。站著做愛就是有那麼點幽會感。而這對男女看起來因做了被禁止的事情而非常吃驚。其二，如果你看看他們的相對位置，他們不是在……交配，更像在口交。加之，」她急急忙忙說著，雙眼仍然注視著畫面，就好像是她不是在爲康特講解，「因爲她站立著而他蹲著，你說不出她到底是否高一些。」

「明白了。」經過一個很長的停頓間隙，他答道，並將畫掛回原處，「我們到後花園去吃午飯吧，我已擺好了桌子。我該開什麼樣的酒？」

菠娜有她的打算，而康特則另有安排。起初，菠娜只想藉此機會多瞭解一下康特和看看他的大學區的住宅。現在，她則更好奇於他的情趣、資歷和他的單身生活。一個衣冠楚楚的獨身主義者竟又被性愛的藝術品環繞著？相反，康特的目的則徹頭徹尾地以自我爲中心：他需要與人聊一聊。在過去的幾個星期裡，他幾乎過著隱士的生活。隨著午飯的進行，他愈來愈感覺到，找一個像菠娜·柯里這樣可靠的人，不懂科學，但又聰明過人、謹愼小心，而且正逐漸發展成爲朋友，這個安排眞不錯。

他們剛剛坐定，他就意識到他首先必須滿足菠娜的好奇心。當時他向菠娜發出邀請（或可說她自我邀請）完全是脫口而出，竟沒有多想他的住家可能會引起她的好奇心。她也是他從未見過的一流室內裝潢家，具備紮實的藝術歷史修養，他決定簡短明瞭地完事。對她來說，雪萊的作品再怎麼便宜到近乎荒唐，按現代拍賣的標準算來，對於一個年輕教授在六〇年代早期的收入來說仍是不可能辦到的。顯然，她的推測是對的。由於她的步步緊逼，一頓午餐的功夫，她就弄清了他富有和擁有維也納式裝飾的來龍去脈。

說起來很簡單，至少當時在不願意提及過去往事的康特看來是如此。他的岳父是維也納一位富有的猶太工業巨頭：他的獨生女在三十六歲時與康特結婚，使得康特能繼承他一半的遺產。與大多數維也納的猶太人不同，這位老人很有遠見，他預測希特勒絕不會在奧地利邊境停止進攻。在Anschluss條約（納粹德國與奧地利於一九三八年簽署的條約）的前二年，他就離開維也納，攜家帶眷、銀細、家俱以及藝術寶藏舉家遷到了美國。「這一下你該明白爲什麼我會擁有坐之機和雪萊的作品了吧？」康特問道，希望能得到一個會意的回應。

「沒有。」菠娜的口中露出一排整齊的白齒，「沒那麼快，爲什麼他讓你繼承他的遺產？你的太太又是怎麼回事？她繼承了什麼？還有爲什麼你要離婚？」

到最後，菠娜得到了答覆。岳父洛溫斯坦年紀很大，正當他對獨生女兒伊娃結婚之事已不存希望時，她竟與康特這位貨眞價實的教授成了婚。爲什麼不給這位兒婿留一半財產呢？很幸運，這位老人沒有受到離婚的絲毫打擊，因爲早在四年多之前，伊娃的父親就與母親死於車禍。當伊娃與康特婚姻破裂時，財產的分配已妥，因爲伊娃的父親已在他的遺囑裡分配得一淸二楚，雙方都得了很大一筆錢財。伊娃當夠了這個康特夫人的生活，也不願帶走房子裡的任何家俱引起自己不快的回憶。

「這可不是我邀請你來這裡談論的話題。」康特不願意再勉強下去。

「不是嗎？」菠娜睜大雙眼，流露出嘲弄的笑容。「哦，你已經滿足了我的好奇心。你想與我談些什麼呢，倫納德？那一生中最重要的實驗，或者說最成功的一個？」

「成功？」康特頓時不高興起來，「菠娜呀，我就是想與人談談那個，我儘量簡潔一點。」

「簡潔？」她的雙唇上又流露出一絲笑容。

康特發現他自己盯著她的臉龐看得稍微久了點。「我指的是儘量少用些專業詞彙。你知道，我的實驗小組多年來一直在研究腫瘤發生學。」

「我知道你會不高興我一開始就打斷你。但是，請準確地解釋一下這是什麼意思？」

「腫瘤發生學嗎？就是腫瘤的形成。」

「是生產腫瘤呢還是治療腫瘤？」她只是想說說俏皮話，那知康特的思緒已飛到了課堂中。

「都不是。我們只是試圖瞭解這個形成過程。去年，我想出了一個主意，謙虛地說是一個神奇的想法。它能夠解釋大多數惡性腫瘤形成的觀察結果，以及產生腫瘤的通用機制。」

康特拿起他的紙餐巾，在其上構畫出細胞膜的大致結構，他用很少的科學術語，很快地向菠娜講解了他的腫瘤發生理論。「當今在癌症領域裡有很多種假設和猜想，但大多都被反駁否定了，還沒有那個像我的理論有這麼大的涵蓋面。容我這樣說，它可眞是掀起不小的風浪。我當時確信它一定會是對的。但是這只是一個猜想，要想要讓人信服，就必須——」他停頓了一下，以造成效果，「我們就應該提供實驗證據。在秋末，我構思了一個實驗，可以達到這個目的，並且安排了我的最優秀的年輕合作者，斯達福博士來做這個課題。」

「你那些奴隸中的一個。」

「不對，我的合作者之一。可以說，也是我至今有過的最具潛力的一個。但是我得承認，我逼得他很緊。我竟做出了我決不會做出來的違背原則的事：我告訴他，必須在三個月裡完成這項工作。」

「他做到了嗎？」

「他做到了。我們也發表了有關這個工作的文章——」

「我們？」

康特滿面疑雲，「對，我們。爲什麼你這樣問？」

「哎，如果是他做的工作，爲什麼你與他一起發表文章呢？」

「天那，菠娜，」他聽起來很不悅。「我們之間眞有一個不可踰越的知識深溝需要塡平。現在我不想多談這個。我向你保證，在科學上就是這麼回事。是我考慮到這個問題，並構思出解決方法，而他做實驗的工作，所以我們一起發表文章，從來就是這麼做的。」

菠娜口氣軟了下來，「繼續說吧，倫納德。這並不重要，後來又發生了什麼事？」

「哎，我們的文章發表以後，眞可以說是轟動一時，我指的是好的一面。」他自我解嘲道：「電話、賀卡、邀請作演講的，等等一切，但是——」他擺動著食指強調，「也有一個問題。一位非常重要的同行，也許我應該稱其爲我前所未有的導師，在哈佛安排了他的一個博士後來重複我們的實驗。」

「爲什麼他要這樣做呢？斯達福博士，我指的是，你手下的人，已經做出來了，你難道不信任他嗎？」

「菠娜，在科學上，有一種約束，也許可以叫『社會合同』，我們必須能夠相信其他科學工作者的研究成果的可靠性。如果你看看科學文章，等一下，我這就進去取一分給你看。」

菠娜眞被他那頑童般的熱情舉動感動了，他從座位上跳起，三步併做二步地衝上花園台階。

「這裡，看看這篇文章的結尾。」他翻開他們的那篇《自然》文章的單行本，「這裡參考了十一篇其他人的文獻，我們利用他們的研究成果來完成我們的課題，如果他們的工作不可靠，我們的工作也就不可信。科學這個大廈完全是建立在信任的基礎上的。如果不是如此，則會架在爛泥之上。」

「我至今仍然不明白你的這個社會合同，與哈佛那個重複你們的工作的人有何相干？」她堅持道。

「啊，對了，問題就在於任何實驗都應該被獨立地重複過，以證實它的可靠性，也確信我們沒有出什麼差錯。當然，我們不是對每一個實驗都這樣做。但是所有的重要實驗都應該被驗證，我們的這個當然屬於重要的實驗。這就是爲什麼庫爾特·克羅斯決定檢驗它，他是癌症領域裡最出名的人之一，有一個腫瘤還以他來命名。」

「那麼他是出於朋友之交重複你們的實驗嗎？」

康特遲疑道：「不，不僅僅是朋友關係。雖然我們是同行朋友，」他急忙補充道：「我猜他也是出於某種疑心吧。」

「可是你說科學建立在信任之上。」

「克羅斯從不盲信。尤其對重要的東西。撇開個人的動機不講，在科學上，執懷疑的態度是正確的。」

「那麼既然他已驗證了你們的工作，結果又該會怎麼樣？你會獲得諾貝爾獎嗎？」

康特面紅了，「你怎麼會問這個呢？」

「哎，對我來說能提出一個可以解釋癌症成因的理論，足夠得一個諾貝爾獎了，難道你不這樣認爲嗎？」她故作天眞地道：「倫納德·康特，諾貝爾獎得主，聽起來很不錯。」

他裝做不好意思。就像每一個眞正的競爭者在談論到這個話題時，不管是在家裡還是在公共場合，都會做的那樣。「『這個世界上有許多應該得到諾貝爾獎卻沒有得到也不會得到的人們。』這是阿恩·替塞利斯（Arne Tiselius）說的，他很淸楚他在說些什麼。他曾獲得諾貝爾化學獎，也是諾貝爾基金委員會的主席。」

他這麼說正表明他應該得到它。菠娜·柯里心中一股衝動想說出這個看法來，然後又覺得康特在這個話題上可能會缺少點幽默感，於是她回到前面的話題上去。

「那麼現在你的朋友克羅斯已滿足了他那疑慮。接著呢？」

康特往後靠在椅背上，視線掃向花園。其間的停頓眞是長不可耐，使得菠娜準備再問一次她的問題。終於他的視線收回到她的臉上。「他的疑慮並沒有得到滿足。他們不能重覆出斯達福的實驗結果。」

「什麼？爲什麼？他沒有叫你是一個——」，菠娜突然住口，對自己爲 I.C. 所受到的藐視而如此憤怒感到吃驚。

康特輕快地在空中揮了揮手來制止她講下去。「稍安勿躁，菠娜，不是這樣的，你對這個合同的內涵還不淸楚。這與把你叫成什麼沒有關係。那只是科學：我們必須爲結果找出可信性。本來，克羅斯的失敗並不意外。我們只在《自然》雜誌上發表了一篇簡單的快訊，也就是你看到的這篇。」他用手指了指桌上的文章，「它實在簡單得很。說眞的，只是簡單地解釋了一下理論和報導了實驗的結果，並未提供細節可以讓其他實驗室來驗證它。可是當斯達福詳盡地寫出了實驗的全部細節，寄往哈佛，他們還是驗證不出他的結果。」

「你的意思是斯達福所做的東西有錯？」

「不！」康特厲聲反駁說，「不是這個意思，這並非二分法，它可能在報告中忽略了某個細節。或者是克羅斯的人遺漏了某個步驟。我自己在讀研究所做化學研究時就有過這樣的經驗。我做過一個實驗，叫做『去碳反應』。有一個步驟需要在玻璃試管中加熱某個物質到其熔點之上。第一次反應非常成功，而後來幾次結果反覆無常。我花了很長時間才弄清楚其中的道理：起初我用的是鈉玻璃試管，含有少量的碱。而後來我用的是耐熱的硼玻璃試管。結果原來是這個反應需要微量的碱來激發。」

「此類事情常會發生嗎？」菠娜更覺好奇了，她總認爲科學實驗應該是毫不含糊的。

「沒錯！」康特很急於說明這個論點。「我給你講另一個眞實的故事，會讓你更吃驚。卡羅爾·威廉斯（Carroll Williams）是哈佛大學一位傑出的昆蟲生物家。曾有一個來自捷克的博士後，叫做開佛爾·斯拉馬（Karel Sl'ama），到他實驗室來繼續他在捷克布拉格進行的一項研究工作。他隨身帶來了在他自己的國家研究過多年的昆蟲，但是無論怎麼弄，斯拉馬都不能使這些蟲子在麻省的哈佛發育成熟和繁殖，儘管他給它們餵的是同樣的食物。你猜猜最後到底是怎麼回事？」

「原因出在裝在昆蟲瓶底的碎報紙片！」康特顯得很得意，「這些碎紙片只是用來給昆蟲做墊子的，在布拉格他們總是這樣做。一旦他們不用碎紙片後，這些昆蟲便在劍橋生長發育得很快活。」康特很高興地講著這個故事，這使得他忘記了自己的問題。「歐洲的報紙與北美的報紙是由不同的樹木做成的。在北美報紙是由香脂冷杉木做的。後來，從香脂杉木的紙漿裡，他們提取出一種可以引起昆蟲生長不正常和早死的物質，稱為『報紙因子』。我至今仍記得他們那篇文章所作出的結論：美國的《波士頓天地》（*Boston Globe*）和《華爾街日報》《*Wall Street Journal*）會抑制生長，而倫敦的《自然》與《時代》則無害。」

「倫納德，我眞佩服你專業上的博學：我們從腫瘤談起，竟以華爾街日報的『抑制效果』結尾。」她舉起酒杯，「讓我們為同樣奇妙有趣的斯達福實驗乾杯。」

「眞是那樣就好了。」他答道，「但我們可能永遠也弄不清楚。當克羅斯第二次失敗後，我要求斯達福與我一道在我辦公室隔壁我的實驗室裡一起做這個實驗。」

「結果呢？」

「做出來了。」

「眞是太好了，」她笑了，「你一定很高興。哈佛的人怎麼說呢？」

康特似乎沒有聽到她的問題，接著說：「幾個月以前我想出了檢測我理論的另一個方法。理論上更複雜一些，但實驗過程較簡單些，我決定由我自己來完成。」他抬頭看看她，有那麼幾分歉意。「這就是為什麼我沒到芝加哥的原因。你是第一個知道我正在做此事的人。我只需一、兩個星期就可以弄清……」他沒有說完這句話。他又能說什麼呢？說他能弄清他是否需公開承認自己的錯誤？

「我還是不明白。為什麼你要開始另一個新實驗？因為在你面前斯達福毫無困難地重複出了這個工作，幹麼不讓哈佛那邊的人再重複一次？或更簡單一些，要哈佛那邊來人到你實驗室與斯達福一起做這個實驗。就照你們的那樣去做。」

菠娜眞是聰明，他內心佩服道：「說實在吧，假如下一次又不成功呢？別忘了，這不是一個可以在兩天內就做完的實驗，它需要好幾個星期的時間。如果我們只有在斯達福在場時才可以做出來，那就不是個貨眞價實的實驗。我這裡講的不是『社會合同』的問題。你知道下一步該做什麼嗎？要在同一雜誌上發表一篇撤回文章的信，聲明由於某種未知的因素，實驗不能被重複。對克羅斯和其他類似的人來說，我的腫瘤發生通論也就完了。這不是一個諾貝爾獎的問題，而是我本人的信譽問題。你知道 Shadenfreude 這個詞的涵義嗎？」

「不知道。」

「這是德語，與格式塔（Gesstalt）心理學，或世界觀（Weltschmrez）一樣，有其專門的涵義，在英文中找不到意思很確切字眼。它比『幸災樂禍』更間接一點，也更貶義。你的名聲愈大，你撤回實驗的後效就愈大，你同行中幸災樂禍的人就愈多。」

「眞難以置信。」菠娜叫道：「你們這些科學家，手握社會合同，卻與普通凡人一樣幸災樂禍於他人的過失？甚至在人家承認了他的過失之後還這樣做？」

康特嘆了一口氣說：「事實上就是如此，我也有過這樣的罪惡感。我指的是幸災樂禍。」他馬上補充道：「但我從未撤回過我發表的研究工作，也希望上帝這次能救我。就因爲此類事情之罕有，不管是無心之罪或其他的——」

「這『其他的』是什麼意思？」菠娜插嘴道。

「數據做假，或全盤編造……」

「發生過這種事嗎？」

「不常有。」他堅定地回答。「就如我說的，就因為如此撤回文章十分少有，人們的記憶力也就相對的很好：大概會一輩子吧。也因為我們對彼此依賴之必要，一旦有人在科學上的信譽受到打擊，就此一蹶不振了。」

「你們都期望別人十全十美嗎？」菠娜叫道。

「當然不是。但是如果你的研究工作非常重要，它可以影響許多人的研究方向和思路的話，大家會指責『為什麼你急急忙忙發表它？為什麼不可以等到你的結果得到驗證後呢？』」

「如果被問及為什麼你急急忙忙發表，倫納德，你又將怎樣作答呢？」

「老實說，大多數科學家都受罪於某種互相衝突的個性：一方面他們是實驗方法及其規則、先進知識眞理的信仰者，而另一方面他們又具有各種性格上的弱點，會犯差錯的凡人。現在我所說的就是這些性格上的弱點。我們都知道，當代科學的職業危險就是同時性的發現。如果我的理論正確的話，遲早我可以擔保，在像我們這個競爭激烈的領域，有可能是很快就會有人也產生同樣的想法。一個科學家的動力，他的自尊，實際上基於一個很簡單的願望：被同行專業的克羅斯之流承認。授予這種認同只能是由於你的首創性，也就是說你必須是第一個。難怪人人都力爭優先權。對於我們，包括我來說，要建立優先權就要看誰先發表其研究成果了。菠娜，你突然看起來不太高興。是我讓你失望了嗎？」

她遲疑了很長時間，才回答道：「與其說讓我失望，倒不如說讓我醒悟了。是不是就因爲如此你不與任何人談論你的最新構想，以免別人也想出這個方法來驗證你的理論，並搶先發表？」

他點點頭，「沒錯。」

「倫納德，最後一個問題，」她朝桌前傾了傾。「爲什麼你要自己做這個實驗，將自己埋在實驗室裡，拒見他人？爲什麼你要你的心腹斯達福像第一次那樣再來做這個實驗？難道他不是你實驗小組中最優秀的人選嗎？爲什麼這次不行？」

「一個優秀的科學家每次只改變一個變量。」

菠娜茫然不知所云，「此話又怎講？」

「我不再信任斯達福了。」

第十三章

最後，康特對其腫瘤通論的另一個獨立驗證，如其所願成功了。那個罪魁的蛋白質結構變化被反映在合成蛋白質的模板，核糖核酸的組成上。他再一次爲他早先的構想驗證成功：先是一個奇妙的理論，現在是更奇妙的實驗！

但是，這次康特沒有急於在《自然》上發表，而是很冷靜、沉著、小心翼翼，他給克羅斯打電話道：現在哈佛實驗室再沒有必要驗證康特—斯達福實驗了，因爲他剛剛完成了另一個實驗，方法上更爲簡潔。

「克羅斯，你眞得看看實驗細節：它眞是妙極了。出乎我的預料，尋找相應的核糖核酸的變化竟比蛋白質還容易。但是這次我不會那麼急於寫出來，至少要等到你們實驗室裡的人驗證這個實驗以後我才發表。我馬上用快遞寄給你我本人的實驗記錄的影印，明天就可以收到它。」康特微妙地迫使克羅斯將注意力從斯達福實驗轉移到他本人的實驗上來。克羅斯沒辦法，只好答應成爲康特科學眞僞性上的證人。

由於康特確知他的最新研究成果能被哈佛的人所驗證，他沒有理由不通過小道消息快速地傳播他的成功。這是爭取優先權的另一種省時方法。他要求舉行一個特別的全系報告會，並說由他來講演，但沒有標明報告的題目。只有那些大牌才可以玩這樣的花招。當使用「題目待定」時，反倒不那麼會有無人光臨的危險。

說起康特，即使沒有這個無題報告的神秘色彩，謠言也已四起。他數週來在公共場合裡銷聲匿跡，就足以保證演講廳裡必定爆滿。當斯達福故意在最後一分鐘才走進去時，演講廳裡已水泄不通。他坐在後頭，認定他就要被釘上公共十字架——也可能只是一頓羞辱，他自我解嘲道。他掃視著焦躁不安的人群、點數著熟人的腦袋。然而康特開始後不久，斯達福就意識到他這次連一個話劇中的跑龍套也充當不上。康特竟沒有提及克羅斯未能驗證斯達福的實驗的事，而是詳盡地講解了驗證腫瘤通論的第二個實驗。

在一片掌聲四起的熱潮中，無人注意到斯達福溜出演講廳。他直奔教授的辦公室。

他坐在秘書辦公室的椅子中，鎮定自若地說：「史蒂芬妮，I.C.剛才給出了一個最難以想像的絕妙報告。我要在這裡等他，我想告訴他我對他的演講的感想。」

斯達福等了很長時間，但他並不在意。這給他更多的時間來準備他要講的話。

他正在默默地選擇到底是給一個「禮貌的祝賀」呢，還是表現出「熱情洋溢」——這只不過是個方式的問題，這時康特走了進來。這個年輕人一下跳了起來，「教授，」他認爲用'I.C.不適時宜，而「康特教授」，又太正式疏遠。「我可不可以跟你談談？」

康特只看了一眼他的學生，然後點頭示意讓他進入他的辦公室。身後的門剛剛關上，斯達福嗓子上的閥門就打開了。「I.C.，我猜想你一定剛剛被人群包圍著。我只是想告訴你，這是我有史以來聽過你最棒的報告。我一直擔心為什麼近幾週來見不到你，現在我放心了。」

這位老人未改變絲毫表情，他只說了一句：「你當然該放心。」斯達福的臉龐頓時緋紅，「你這是什麼意思？」他有點結巴地問。

通過兩個不同的路徑爬上喜馬拉雅山頂，確實是夠轟動的，幾乎沒有人能在峰頂被照過二次照片。這次，康特在頂峰的興奮比起第一次要結束得快多了。消息還是來自哈佛，送信人就是克羅斯。他通知他的朋友，對第二個實驗的驗證正在進行，現在一切正常，還沒有什麼毛病出現，康特得意洋洋——潛在的困境就將被排除了。

但克羅斯接著說：「I.C.，順便提一下，你的斯達福前幾天給我打過電話。他問起我，是否可以在我實驗室裡為他提供一個博士後的獎學金。他說他在你的系裡幾乎度過了全部學術生涯，在找助理教授工作之前，想做一些其他方面的研究工作。」

「如果是其他人，我就不會打這個電話了。但是，因為他與你一起工作，我想知道你是否介意他加入我的實驗組。我知道你對這個人有很高的評價，但你也熟知我們需要有推薦信來存檔，其中的一分自然應該是來自你，但是斯達福連你的名字都沒有列在推薦人名單上。我當時很吃驚的問他。他說他不願意以這種小事來麻煩你。坦白地說，我認為他是怕你得知他要到另一個實驗室工作會感到不高興。」

有史以來，康特第一次語塞了。克羅斯錯把他的沉默當做不同意。他急著往下說：「I.C.，你不能不承認，這個人若在你的地盤裡待下去，將不會再打起興頭。在你們兩人發表在《自然》裡的那個工作以後，很自然地他要征服新的世界。可不可以給我寄一封關於他的推薦信?不需要很長，只寫上你以前告訴過我的那句話：他是你實驗室裡最優秀的組員。」

利亞剛轉過彎，遠遠地看見斯達福正提著行李箱子走向停在他們住房前面的車子。正當他倒車時，她追上了他。

「傑利，」她喊了聲，「怎麼回事?」她用手指了指車後座，裡面裝滿了成箱的書籍和衣服。

「昨晚塞麗沒有告訴你嗎?」他不高興地回了一句。

「昨晚我不在這裡。」她咧嘴笑道，「我現在是回家來洗個澡，換換衣服，然後就去圖書館。」

「哦，那就問她去吧。」他說著，臉朝房子看。「她正在那兒，我該走了。」

利亞小心翼翼地打開房門。她說著，「塞麗，你在家嗎?」。當看到她的室友淚汪汪雙眼紅腫，趕忙閉嘴。

「不要管我，利亞。氣死我了。」

「好了，好了，你氣成這樣子。」她想擁抱一下塞麗絲汀，卻被她一把推開。「告訴我怎麼回事。」

「這個壞蛋，幾週前還對我承諾。」她用拳頭擦了擦眼睛。「還記起你曾經問過我覺得傑利如何？爲什麼在他沒有參加我們與珍·阿德莉的那頓晚飯後我竟還能夠再忍受他？」

「我當然記得，你當時說，我不會明白的。」

塞麗絲汀已平靜了下來：「這次我想你會明白了。」

利亞點頭坐下，她向來是一個好聽衆。

「當我第一次見到傑利時，他看起來很嫩。在某種程度，像格雷姆給我的感覺：就是那一種教一位年輕人性愛之歡的興奮感。傑利是那樣毫無經驗，那樣嫩，那樣的——怎麼說呢說是有所需求吧。他不僅僅需要一個愛人，最根本的是他還需要一個母親。還記得我們談及怎樣才是完美的男女關係嗎？朋友加愛人加伴侶。我們一成爲戀人以後，傑利就像花兒一樣，一瓣一瓣地開放了。後來他說出了他的故事。你知道他父親是一位虔誠的基督徒嗎？他口口聲聲說，他是一個神造論者，在家中不容提及任何『生物進化』之類的詞句。我成了他的知音。這是同伴關係的好開頭。當傑利講到他個人的理想和抱負，也就是科學研究對他的意義，他對職業工作的安排打算，甚至他選擇指導老師的標準等等，都使我意識到我們非常相似。這些都是作爲朋友所需要的。」

利亞沉思道：「你從未告訴過我這些。」

「爲什麼我該告訴你？這不影響我倆之間的友誼。」她伸出手去摸利亞的頭髮。「傑利與我的生活重點非常相似：都想要學術工作，都想建立科學上名譽。所以我們達成了協議，至少我是這樣認爲的。傑利答應在康特的實驗室裡做下去直到我拿到博士學位。最多只要一年的時間，然後我們就可以找距離相近的工作。譬如說，如果他在柏克萊找到工作，我可以去史丹福。至少這都是我們所考慮過的。」

塞麗絲汀的口氣開始帶了點怒氣。「昨晚，傑利像一隻夾著尾巴的狗走了進來，告訴我他剛剛取得一個不可錯失的良機。還記得克羅斯嗎？那個傑利對我們談及的在哈佛搞癌症的人？就連康特也想打動的那位？傑利說他給他提供了一個博士後的工作，下個月開始，並且他已決定接受這個工作了。這樣可使得他打入克羅斯的工作關係網中。他就是這麼說的：『打入』。你猜猜我是怎麼告訴他的？『你可以打入一個關係網，同時也就打破一個關係。』『但是塞麗，』他說道：『我們週末時可以在一起，我可從波士頓飛來的，你也可以到哈佛來看我。』我問道：『是嗎？如果我太忙沒時間去哈佛呢？如果我在週二或週四的晚上需要人作伴呢？』」

「他怎麼說呢？」

塞麗絲汀嘀咕道：「我不記得了。但他確實看起來很難受，還掉了幾滴眼淚。他要我相信他……。我叫他打點他的東西，馬上滾出去。他承諾過，然而私下他仍保留著他的打算。

我告訴他：『現在我也另作打算了……』傑利問道，『你的意思是不再見我了嗎？』我告訴他，如果他想立刻就得到答案的話，那他是對的。他懇求我重新考慮一下。」

「你會重新考慮嗎？」

「是的。」

利亞溫和地建議道：「在你決定以前，做一個心理分析也許對你沒有害處。你談及你與傑利在科學上有很多相似之處。可能你是通過親蜜關係來獲取傑利的認知的……」

「哎，利亞，認眞一點：你眞的認爲人們會這樣做嗎？」

「對。塞麗，人們是會這樣做的。就拿你與盧弗金之間的關係做個例子吧。很顯然，你將對父愛的渴望轉移投到一個比你年長男人身上。」

「哎哎，等一下。」塞麗絲汀抗議道，聲音中混雜著惱怒和興奮。「『轉移』、『投射』這些是不是你那些心理學課堂中的陳腔濫調？」

「好了。」利亞揮手轉移話題：「那就忘了盧弗金的事——」

「提到盧弗金。」塞麗絲汀哼了一下鼻子。「我告訴你吧，他下個星期會到這裡來。」她補充說：「即使他不來的話，我也永遠不會忘記我與他的第一次晚餐。」

在盧弗金漂亮的白色廚房裡，塞麗絲汀斜靠著冰箱，一邊喝酒，一邊看著他盛菜。「好了。」他退後二步細細觀賞著這個洛林蛋餅，開心地說：「再烘半小時，就好了。我這就涼拌沙拉，然後我們就可以開始吃了。哦，」他看都沒有看她一眼說：「可有男人留意過你的兩個耳垂不對稱？」

塞麗絲汀笑著：「沒有，父親除外。」

「我想也是。」他放下手中的沙拉盤，走至塞麗絲汀面前，她雙手握著酒杯靠在胸前。他每隻手拿起一個耳垂，開始用食指和拇指沿著耳內環上下撫摸，眼中流露出一絲像是微笑的表情。塞麗絲汀笑個不停，全身顫抖。這個男人找到了她性感的第二個靈敏區，他不會放過它。慢慢地他拉住她的耳朵讓她靠近自己，輕聲說道，「在坐下之前先品嚐你。」他的舌頭在她的嘴唇上輕輕地滑動，直到它慢慢地張開，足夠他的舌頭插入。舌頭一直不停地在探索挖掘。突然他從她的嘴中移開舌頭，沿著她的脖子，緩慢、準確地移向她想要的地方。當他的舌頭剛剛移入她的耳朵，她放掉酒杯，雙手抓住他的頭。是想把那帶有這個狡猾的舌頭的頭停在那裡呢，還是想將它推開，她自己也弄不清。當玻璃杯在腳邊砸碎時，她鬆開了手。說道：「對不起。」

「沒關係，」他笑著又拌起沙拉。她彎腰收拾玻璃渣。

在廚房的圓桌邊坐下後，他問道。「你二十一歲了嗎?對不對！」

「是的。你爲什麼問這個?」

盧弗金露出嘲弄的表情，「我只是想確定一下我沒有觸犯什麼法律。」他用手指了指酒瓶。

晚餐後的甜點是黑醋栗酒果汁冰淇淋加上新鮮山莓和奶油，他們是在客廳裡吃的。當塞麗絲汀正在刮碗裡的最後一點點時，盧弗金走到裝著唱片的櫃子邊，彎下腰食指沿著唱片盒的側面劃過去，問道：「你聽過卡爾·奧爾夫（Carl Orff）的音樂作品嗎？」

塞麗絲汀聳聳肩，「我只聽過義大利歌劇卡米拉那·烏拉拉（Carmina Burana）。」

你竟然沒有聽過他的〈卡圖利·卡米拉〉"Catulli Carmina"，我們馬上就彌補這個缺憾。」盧弗金的選擇眞是聰明。他記得塞麗絲汀告訴過他，她在高中打下了紮實的拉丁文基礎。幾分鐘以後，塞麗絲汀橫躺在沙發上，鞋子丟在地板上，四周充滿著奧夫的樂曲。「聽著，」他叫了她一聲，憑記憶翻譯著拉丁文唱詞，「這位小伙子唱道：『啊，你的舌頭永遠滑動，那蛇一樣的舌頭。』」，姑娘回道：『請留神這個舌頭，要不它會叮你一口』」，男人挑釁道：『就咬我吧』，女人回答說『吻我，吻我』接著你只聽到他們的啊、呀聲。這還只是開場部分。耐心等到一群老人合唱開始宣佈卡圖盧斯的入場。」

盧弗金坐在塞麗絲汀的腳邊。他那強有力的手捏著她的左腳趾，一邊按摩每個腳趾頭，一邊用拇指用力按著腳掌的湧泉部位。他看不見她的臉：她的雙手拿著唱詞，把她的臉遮住了。從她的另一腳伸展開來的腳趾看得出，它要求也得到相應公平的待遇。當音樂進行到卡圖盧斯和麗絲白的對白時，盧弗金滑向地板，拿起塞麗絲汀的小腳趾放進他的口中。他特別緩慢，輕柔地吸著，而後他的舌頭依個地舔向腳趾縫間的部位。一個接著一個。從沒有人如此愛撫過她。當他舔到她左腳的大拇腳趾時，她已軟癱在地板上。如果沒有宏亮的音樂聲的話，她急促的呼吸聲一定能聽得見。他低聲說道。「不要擔心。我剛做了輸精管切除手術。」

早餐時，塞麗絲汀裹著盧弗金的浴衣裡，聽他讚美她的皮膚像鐵氟龍緞子一樣光滑。她故意噘著嘴問道：「這又是那種奉承呢？」

「最高級的，」他一邊起身取來一個油鍋。「看看這裡，摸摸這個表面，同時用另一隻手摸摸你的大腿的內側。你能找到比鐵氟龍緞帶更貼切的形容詞嗎？它可眞使人同時聯想起性交和實驗室。」

一提起實驗室。倒引起塞麗絲汀回想起盧弗金在課堂裡講授那些敏感課題的事，這些東西一旦由男教授來講授常易引起女大學生不悅和不安。但他卻能藉用好色的昆蟲使人們容易接受得多。

「舉個例子，對某些種類的雌性蚊子，」他在一堂課中說過。「第一次性交之後就再無任何生殖能力，即使馬上與不同的雄性交配也無濟於事。就像做過輸精管切除術的男人一樣，與再多的異性交媾也不會成爲人父。」他就這樣輕鬆地帶了過去。

「教授，」塞麗絲汀媚眼傳情於早餐桌對面的五十六歲的老情人，不管他再怎麼催，她仍不改叫他格雷姆。「你當時非常圓滑，我們連想都沒有想爲什麼你將雌性蚊子比喩做了輸精管切除術的男人而不是做了結紮的女人。」

他答道：「你知道有一些昆蟲，譬如說，雄性昌蝎蠅，竟有異性模仿慾？」

「這與我的問題有什麼關聯？」

「沒有。」

「沒有？」

「沒有。我只是想改變一下話題。」

「好吧，教授，」塞麗絲汀笑道：「算你贏了。說說雄性昌蝸蠅的異性模仿慾吧。」

「要等到你吻了我以後。我就是喜歡你的舌頭。」

「這簡直是敲詐。」

當她終於將舌頭從他的口中拔出後，他用手指輕輕地從她的後頸部撫摸到她那亮棕色的短髮上。早在布蘭中學游泳時她就留著這個髮型。盧弗金在她有一次課後來問參考文獻時就留意到了。這個髮型使她的耳朵露在外面，除一點點難以察覺到的不對稱外，這雙耳朵構型極好。這時他將她的頭移到他的臉前，移得如此之近以至於她看起來像有三隻眼——三隻帶罩子的眼在同一水平上排列整齊，就是在性交高潮時也不會完全合上，只是拉成很長的一條細線。

他接著說：「好吧，那些男扮女裝的蝎蠅，在雌性答應雄性與其交配之前，雄性必須進貢一點佳肴——婚禮獻品。她先品嚐一下合意以後，才將玉體交給雄性。爲能得到此種款待，雄性是要冒生命危險的。他也許會被其他的捕食動物比如蜘蛛等等逮住而一去不回。有那些聰明的雄性，便男扮女裝。他們接受那些專事勾引婦女的浪子們的貢品，轉手獻上給那些名副其實的雌性。這些雌性就與這些靠男扮女裝而躲避風險的傢伙交配。聰明過人，對不對？」

「教授，爲什麼你講出這麼多關於昆蟲的性交故事？」

「可愛的小傻瓜。因爲我不在乎如果人類也有與 Callosobruchus 類似的東西。」

「Callosobruchus？」

「這是一種日本的甲蟲，此類昆蟲的雄性可以分泌出一種叫做『勃起劑』的物質。這個東西，可以引起男性生殖器官的脹大。明白了嗎？」

「我懂了。」塞麗絲汀往後靠了靠，讓兩隻亮晶晶的眼睛聚焦到盧弗金身上。「我想我以後就叫你 Callosobruchus。聽起來就像你既有內涵也頑皮。如果你邀請，我想我還會再來。」

「只是想再聽聽其他的故事嗎？」

「不。對你來說只怕要比這多得多。」

第十四章

「書報討論」尚未正式成爲一個及物動詞。但在任何一個研究取向的大學裡，絕大多數研究生常常感到自己參加討論會是出於被動，而非主動積極。他們常常以「痲木不仁」來形容那種被討論會弄得超飽和的感覺。塞麗絲汀每週要參加的討論會有星期一下午四點的化學系系書報；接著是阿德莉教授的小組討論占據星期二中午二小時的時間；然後是星期四下午四點的有機化學討論。除此之外還有其他不少與她的論文相關的演講，她非去不可，比如醫學院或鄰近發展生物學系的討論會。甚至有時她要騎上十分鐘的自行車去農學院的一些討論會。在這樣的壓力之下，難怪研究生和博士後們對他們要去聽的講座有個高標準。除非演講的題目使他們感興趣或者缺席會惹痲煩——每週一次的系書報討論便是一例，塞麗絲汀與她的同事們絕不參加與他們研究課題無關的演講。除非講演人非常有名或者講演的題目特別吸引人。

盧弗金教授對這種過量的聽演講癥候群比旁人更敏銳些，因爲他不是「超級明星」。深知自己連一般的「名師」都不是。二十五年來，在他的老家霍普金斯大學他不過是——一名受人尊敬的優秀教師。

他的生物系的同事們對他在費洛蒙領域的研究成果反映平平。他現在的研究小組裡只有二名碩士生和一名博士生。在約翰·霍普金斯，人們光臨他的演講只是因爲他生動和有趣的表達方式，他們並不期待在科研上有所收穫。但是現在他面臨的是到千里之外阿德莉教授所在大學的化學系作一個演講。

盧弗金知道爲什麼他能有此行。在約翰·霍普金斯大學時，珍·阿德莉是位年輕有爲的女教授，而他則像是她的長輩和科學上的知音。這種職業關係曾使盧弗金感覺很好，儘管阿德莉比他小二十多歲，她不是他喜歡的那種女人。自從她遷到中西部之後，他們之間的來往只限於互寄聖誕卡或各自的科學論文抽印本。幾個星期之前，他們在一個會議上不期而遇，臨別時，阿德莉說：「格雷姆，你什麼時候到我們那裡去講講你的東西。」他當時以爲她只是找個話題，不以爲然地笑了笑。沒想到幾天之後阿德莉便寄來了邀請函，她給了他三個日期任他挑選。他馬上考慮如何讓大廳坐滿聽衆的問題，但是盧弗金知道什麼奏效：他決定選擇近來在工蜂上的研究工作作爲講演內容，但他要爲它們披上色情的外衣。

「你一點也沒變，塞麗。」盧弗金耳語著，摟住塞麗絲汀，要親她的嘴唇。「你來接我，眞是太好了。」

「格雷姆，你也沒變。」塞麗絲汀笑著在他的面頰上親了一下，同時謹愼而有力地將他的雙手推開。

「怎麼了，」他假裝驚訝，「在人來人往的機場與舊情人親吻有什麼不妥呢？這是很平常的事。」

「對有些舊情人是的，但我做不到。你不記得我們是怎麼分手的嗎？」

「塞麗，那已是兩年多之前的事了。」

「那就意味著我長大了兩歲。」

「那又怎麼樣呢？」

「更聰明了。」

「我明白了。」盧弗金親暱的語氣一下子變得自負，「那你爲什麼要來接我？你爲所有來訪的有名教授都提供該項服務嗎？」

「有名？你？」塞麗絲汀覺得一點挖苦也許能幫她把話說明白。「不，我不是因此而來。」

「那得了，是你的教授要求你來的。」他無疑地被惹惱了。

「放輕鬆，格雷姆，珍本來是要接你的，可她必須去參加一個教員會議。她今天晚上要請你吃飯。珍並沒有要我來，我是自願的，因爲我想單獨見你。我們就在這個咖啡廳坐一坐吧。」

塞麗絲汀往咖啡裡加了第三匙糖。「你眞的沒有變，」盧弗金一邊說一邊用他的湯匙指著她的杯子，「你還是個可人兒。」

「沒錯，」她回答道，慢慢地攪拌著咖啡。「我還是老樣子。說說你吧，你的頭髮好像較以前灰白了，但從你講題來看，你仍是以前的盧弗金。」

「你難道不喜歡我的題目？夠色情吧？你不認為它可以吸引這兒的化學家們來聽一個生物演講嗎？」

「不……是的，……對。……」塞麗絲汀緩慢而單調地回答道。

「這是什麼意思？」盧弗金奇怪地問。

「不，我不喜歡『昆蟲間的一夜風流』的標題。是，它是夠色情的，對，它能吸引化學家。不過話說回來，我也許是聽衆裡唯一認識你的化學家吧。」

「唯一？還有珍·阿德莉呢。」

塞麗絲汀將她的手壓住盧弗金的手說道：「格雷姆，我想珍在那個方面並不認識你。」她的聲音變得嚴肅起來。

「那個方面？」盧弗金警惕地說道。

「格雷姆，」塞麗絲汀往後挪挪身體，似乎想在兩人之間隔開最大的距離。然後說道：「為什麼，一個五十六歲的教授會誘惑一個剛過了法定年齡的學生？你為什麼會做出這樣的事情？」

「怎麼回事，塞麗？」他小聲說道，「為什麼你三年前沒問這個問題？假如是我誘惑了你，為什麼我們的關係持續了一年？為什麼？……」

「我跟你去紐約聽我的第一場歌劇？」她幫他把話說完。「難道你沒意識到我們並不是平等的兩個人？我不是說年齡的差異。」

「塞麗，你對我懷有怨恨。可我不是最後提出來了嗎？」

「當然，在最後，你僅僅花了十二個月的時間才意識到？」

盧弗金決定他不能一味防守了。「那告訴我，你爲什麼會與一個比你年長三十多歲的男人做愛？而這人又是你以前的老師。」他把「以前」二字說得特別響亮。「你在我班上時我們並沒有成爲情人啊。」

「格雷姆，別生氣。我不是在你的終生教職聽證會上指控你性騷擾。我只是想把我們之間的事搞明白。經過一段時間後我才有勇氣面對事實……，」她不語，又往咖啡裡慢慢加入一點糖。「對不起，格雷姆，我不應該這麼生氣。」

「我也是，塞麗。」他伸手罩住糖壺。「那你說的事實是什麼呢？」

「你是一個傑出的老師，這不僅僅是在課堂上。但當你引誘我時，你破壞了一種信任。」

「你又來了，」他打斷她，「你回想一下當時，」——他遲疑了一下，「當我們變得親密的時候，你正在聽奧爾夫的音樂。」

她反過來打斷他，「對了，閱讀那段極富挑逗性的對白。現在你是不是要說，你把它放在那兒只是一個巧合，你只是想考考我拉丁文的程度。」

「不，我沒想這麼說。但是當你聽音樂的時候，我只是撫摸了你的腳趾，假如你不喜歡，你可以讓我停止。」

「那你就會停止啦？」

「絕對的！我甚至給了你一個台階，你可以說你怕癢。」

「我懂了，」塞麗絲汀冷嘲道。「你要問我為什麼，一個二十一歲的女孩子——」

「婦人，」他插嘴道。

「女孩子，婦人——隨便，爲什麼我情願和一個比我父親還要老的男人上床？」

「哦，我的天，你該不會說什麼弗洛伊德吧？」

「我原可以這樣做，但我不會的。有的時候雪茄便是雪茄。我絲毫不相信當時我是在你身上尋求一種父輩形象。也許其他女孩子是，我猜想還有其他的女孩子吧？」

「其他的？」

「哦，格雷姆，」她大聲地喊道，「別裝了，誠實一點，你有過其他像我這樣的情形嗎？」

「你是唯一的，塞麗。」

「格雷姆！」塞麗絲汀沒有掩飾她的憤怒。「你知道我的意思：像我這樣年輕的。」

「有過幾個。」

「好，我不想問，到底是多少個。在我之後有過嗎？」

盧弗金短促地看了一眼塞麗絲汀，垂下眼簾，「一個。」

「我明白了。」她往她的空杯裡加入了更多的糖，向女侍再要了一杯咖啡。

沉默之後，一種平衡在他們之間重新建立。塞麗絲汀重回話題，「我想從我們的關係中得到的是二人之間的平等。我在知識上不能和你媲美，但我不想僅僅成爲一個肉體的對象。至少我希望我在你心目中是重要的。當你突然間要我離開，我恨死了。」

「我可以理解，」他回答道，「我未開口之前就知道你會恨我。但我需要的也是平等。我對你的吸引力又還能維持多久呢？」

「別傻了！」塞麗絲汀脫口而出，「你所指的吸引力是什麼？你的性費洛蒙就是知識。是知識的權威讓年輕女子爲年長男人們所傾倒，你濫用了這種權威。」

「你怎能這樣說？」盧弗金的聲音也提高了。「讓我告訴你，把你自己當作我的性伴侶簡直汙蔑了我們之間的關係。」

「哈！」

「別對我『哈』，塞麗，」他痛苦地回答。「你不知道你的青春對我意味著什麼。我們在紐約歌劇院的時候，絕大多數時候我並沒有看舞台，而是側眼凝望著你。對你來說那一切都很新鮮。你難道不知道這一切對我來說意味著什麼嗎？」

「我知道，」她平靜地答道。「一個美妙的週末。」

「我們當時性愛的歡娛並沒有幫倒忙，是吧？」

「沒有，當時沒有，可最終是的。假如我是你唯一的，也許會有不同的感覺。但你剛剛告訴我先後還有別人。她們在你的生活中又扮演了什麼呢？」

盧弗金啞口無言。他低頭看著咖啡杯，右手中指在塑料桌面上無奈地敲擊著。塞麗絲汀仍然記得他的這個習慣：他在默數到十。但這次他敲擊得如此緩慢，塞麗絲汀幾乎忍不住要重複她的問題了。

「當我在霍布金斯得到終生敎職時，」盧弗金用一種低沉近乎憤怒的聲音說道，他緊盯著手中的咖啡杯子，似乎在自言自語。「我的科研還是很有進展的，但給我終生敎職主要是因爲我敎學出色且一絲不苟，可是我的科研未能突破，開始的十幾年我不承認這一點，但是漸漸地，我知道自己永遠不會成爲一個明星。我從未對任何人說過這些，包括對我自己。」他突然抬起頭來，塞麗絲汀注意到他的雙眼是那麼通紅，那麼蒼老。「你大概懷疑我說的這些跟你的問題有什麼關係？」

塞麗絲汀又一次伸出手，輕觸著盧弗金的手，「說吧。」

「隨著時間的流逝，我意識到我的科研實在是微不足道，我不可能從那些傑出的科學家們那裡得到任何肯定。所以我便將精力轉移到學生身上。獲得學生對我課程的優秀評價，看到課堂上激動的臉龐，聽到不由自主的笑聲和巧妙的提問，有時甚至是鼓掌，這些都使我滿足。但多年後這些對我都不夠了。如果我不是一直單身，也許一切就會不一樣。所以，我才將精力集中到個別的學生身上。」

盧弗金依然捧著咖啡杯子，用雙手捂著它就好像在爲它保暖。突然他將雙手插入口袋，看著塞麗絲汀。「謝謝你的耐心，」他苦笑著，「你瞧，要說到重點了。」

「我感興趣的只是那些聰明的學生，那些有朝一日將成爲我所渴望成爲的那種科學家的學生。就像你這樣的，塞麗。」他再次抬目面對她的凝視。

「我想這些都是女學生。」她問道，見他點頭，她又問：「爲什麼沒有男學生？」

「爲什麼？因爲性愛同等重要，我可不是同性戀者。還有什麼比性愛更能證明你的魅力呢？朝一個年輕聰明的女子施展我的吸引力，以擊敗她們的男性同輩，這幾乎變成了我的癖好。你說得對，知識是我的費洛蒙。我想證實自己並不是一個老頭，最有效的證明便是一個聰明的女子投入我的懷抱，而不是投入那些年輕力壯的小伙子之中。雖然並不光彩，但至少是個誠實的回答。」

「格雷姆，那就算證明了你對年輕女子的吸引力——」

「不僅是年輕，而是年輕新鮮——」

「年輕新鮮！這聽起來像是對實驗對象的臨床描述。」

「塞麗，你知道我不是這個意思。」

「那別說這個了。我想說的是，你撒下一張網，你用那些昆蟲的猥褻的演講做魚餌，如果上網魚還未滿二十一歲，或她還沒有收到你給她的成績，你就將她拋回水中。嗨，你瞧，你拖上了塞麗絲汀·布勒斯：年輕又聰明，都爲了你是如此的狡猾，使她從未意識到她已是條落網的魚。而你呢?這種強心劑使你忘卻了對青春已逝的恐懼，以及其他因男性更年期帶來的各種毛病。」

盧弗金做了個痛苦的表情。

她視而不見地繼續說道，「你釣到了我，我也自投羅網，我們快樂了一段時光。你教了我許多，我不是指床上的事。那時我並不知道自己受騙上當。突然，一個早晨，在一夜溫存之後，你讓我收拾行李。」

「收拾行李?我是那麼做的嗎?別把話說得這麼難聽嘛。」他懇求道。

「但事實如此，當你告訴我，你我之間的事已完結，而在瞬間之前我還沉浸於昨夜的欣悅，我感到極大的汙辱。你把我降貶爲一個性愛對象。一個對你的種種技巧有點反應的性愛對象，天知道經過多少個『年輕新鮮的女子』你才發展了那些技巧。」

「塞麗……」

「別叫我塞麗。你還記得當你告訴我你的決定時的藉口嗎?是你的決定，格雷姆，而不是我們的決定!因爲你就快愛上我了!這好像你就要染上什麼病似的!到現在爲止，你只說了我們的關係對你產生的影響，讓我告訴你我的感覺是什麼。爲了保持我的自尊，每次你撫摸我，吻我，我都不得不讓自己相信，不僅僅是性愛使我們在一起。我不得不忘卻我們之間的年齡差異，因爲我必須在某種意義上感到我們是同代的至少是同等的，彼此能給予對方一些東西。我得相信你不只是因爲一張臉，一個身體或者我的年齡才和我同床共枕，我要相信你是和我——一個實實在在的人——塞麗絲汀・布勒斯在一起。」塞麗絲汀嘎然止聲，似乎喘不上氣來。等她再繼續時她的聲音已平穩了下來，「我沒有眞的相信，是嗎？」

「不，你並沒有眞聽明白我的意思。你要求年輕女子和年老男人之間的平等……」

「年長男人，不是年老，」

「謝謝，那年長男人和年輕女子之間的平等呢？我害怕你會主動提出結束我們之間的關係。事實上由於年齡差異，這終究要發生的。我們陷得越深，用情的時間越長，最終的痛苦將越深。」

「你是在告訴我你決定分手的原因？還是因爲你會痛苦？或是你會老得再找不到像我一樣年輕的替身？」

「是的，」盧弗金說道，「也許是吧。」

「格雷姆，」塞麗絲汀斷然地說，「我不相信事情會這麼簡單。」她往後推開座位，站起身來，「我們走吧，我跟珍說過在十一點鐘前帶你去系裡的。」

塞麗絲汀將近四點走進講座大廳。使她驚訝的是大廳幾乎坐滿了。她慣常坐的便於早退的右排中間位置，已經被一個外系學生占據了。顯然，盧弗金的「昆蟲間的一夜風流」吸引不少人，現在就看他的表演了。她這時想起她還從未聽過盧弗金的研究演講，以前她只是作爲一味崇拜他的學生而聽過他的課。而現在，她是以一個老練的評論家的學養，來聽盧弗金講他自己的研究。

開頭幾分鐘，盧弗金指出：幾乎所有的性激素是由雌性昆蟲分泌的，但是昆蟲學文獻上出現了零零散散的報告，聲稱雄性昆蟲帶有抑性素。「你會問。抑性素？在雄性身上？」他故作驚訝，「做何用？」聽衆裡有人開始竊笑，但盧弗金不動聲色，他在講述有傷大雅的話題時一慣如此。在霍普金斯時，正是他那嚴肅的態度，愼重的語調加上對昆蟲裡種種出格的性行爲的描述使塞麗絲汀神魂顚倒。他顯然技藝猶存。「回想一下人類貞節帶的目的，某些昆蟲就是比我們聰明，它們給雌性伴侶打上一個化學的印記，而不用愚笨的貞節帶。」

「昆蟲間存在抑性素的證據是很詳細的，」盧弗金聲言。他現在就要向聽衆們證明它們確實存在。塞麗絲汀幾乎能覺察到聽衆們像被什麼東西所催眠，全都坐直了。她暗笑了。通常的化學演講無疑不會這樣起頭。盧弗金是正確的，性是不可抵抗的，尤其是在科學界。

「以汗蜂爲例，」他敘述著，將那名字寫在黑板上，「十多年以前，堪薩斯大學的巴若斯（Barrows）發現雄性汗蜂有巡查巢穴追求雌性的習性。這種追求似乎是由類似性激素的一種雌性氣味挑逗而成的。使巴若斯驚奇的是，在衆多次的追求裡眞正發生交配的機率卻極少。哈，巴若斯推測，雌性汗蜂只交配一次。」

盧弗金的目光慢慢地掃過聽衆，他們鴉雀無聲地等候著下文。

「接下來是康乃爾大學的佩能洛普·庫凱克（Penelope Kukuk）。他們將一些雌蜂綁住放在小溪的土岸上，那是汗蜂最愛棲息的地方。他們觀察到至少有半數路過的雄蜂湊近被綁著的雌蜂，但一、二分鐘之內，只有一隻雄蜂留下來與其交配，其餘的全都離開了。以上的過程，可以用已『沾過花』的雌蜂，雄蜂就不上門了來形容。」

「綁住被沾過花的雌性！」很典型的盧弗金，塞麗絲汀心想，她敢打賭一半的聽衆想到你怎麼綁住一隻汗蜂呢？

「你也許會問怎麼才能綁住一隻汗蜂，」盧弗金接著說，好像他正與她的私下對話。「很容易，你只需用透明膠帶把她的翅膀沾在一個小枝上。請放第一張幻燈片。」

第一張幻燈片上顯示的是汗蜂的自然棲息場所，第二張是被膠帶黏在木枝上的雌蜂，接下來的一張顯示的是盛著花粉、水和蜜的小瓶裡頭還關著一隻處女蜂。每過一天處女蜂都被移入另一只瓶子，而瓶子裡餘下的成分——塞麗絲汀早就想到了下一步實驗將是什麼——經二氯甲烷提取後所得到的一個 FDE 的性氣味。塞麗絲汀沒有聽淸 FDE 是什麼。盧弗金補充說，就是「雌性一日香」。在收集相當的幾百隻的雌性一日香後，他們用黑尼龍布綁在小木棍的尖端上做成雌蜂模型，在其上面灑上幾滴『香水』。這樣的假處女蜂被擱置在雄蜂游戈的小溪岸邊。假如雄蜂被騙到離它半英寸之內，而且停留五秒鐘以上，就被記錄爲一次「逗留」，如果雄蜂的身體觸及了尼龍假蜂，就算一次「虛擬交配」。統計數據淸楚地表明，如果假處女蜂被「虛擬交配」過幾次之後，「逗留」發生的次數就大幅度地減少。抑性素顯然是由雄蜂貢獻的。

盧弗金個人對這項研究的貢獻是活性抑性素的分離，其過程非常的直接，但解釋起來則很難。儘管它的生物效果非常特別，抑性素的化學結構卻是非常簡單的，塞麗絲汀一點也不驚訝。她記起從前在盧弗金的課堂裡感到過同樣的失望，那是他講述分離蠶的第一個費洛蒙的時候，在經過極端複雜的分離步驟之後，那些德國科學家們找到的卻是一個簡單已知的有機醇。塞麗絲汀尚未忘記當時他輕率的評論。「讓我們記住這一點，蠶產生的費洛蒙是為了吸引另一隻蠶，而不是吸引一個有機化學家，考驗他的智慧。我們說的是性繁殖——物種永存的問題，而不是人類智慧的一時歡愉。」

這天下午，聽衆顯然並不在乎化學方面的虎頭蛇尾。從熱情的掌聲裡顯示了出來，他們既興奮又滿足。

忽然間，塞麗絲汀理解了盧弗金在機場的咖啡廳裡所說的話。他講演的內容沒涉及任何現代的分子生物學，DNA重組技術，蛋白質受體或者抗體剪接技術，甚至連新的分析或光譜技術也沒用到，但是他的講座卻比那些極尖端的科研報告更能吸引廣泛的聽衆。聽衆紛紛舉手提問，顯然他們對盧弗金的報告很欣賞。塞麗絲汀轉念想到，也難怪同行們對盧弗金的反應平平，從他的報告裡，你甚至聽不出那一部分工作是前人的研究，那一部分是他本人和他的學生的貢獻。

「盧弗金教授，」塞麗絲汀大聲地問道：「我希望你不要認為我這個提問屬於神學範疇，為什麼雄性汗蜂擁有這種化學標記呢？」

盧弗金瞇眼瞟著講演大廳的上排，「神學？你是說神學弟子會來聽一個化學演講？」他打趣道，同時在腦子裡擇詞選句。幾個竊笑的學生回過頭來尋視提問的人。

「對不起。」──盧弗金露出一絲假笑──「我知道你的提問是嚴肅的，我只能以我的猜想回答：有一種可能是汗蜂這樣做是出於延續子孫而非性關係上的妒嫉。一次交配足以使雌蜂受孕，達到再繁殖的目的。這種化學標誌使其他雄蜂不再在它身上費神，而是去尋找其他的處女蜂。」

「如果是這樣的話，」塞麗絲汀追問道，「為什麼用『一夜風流』呢？這不是形容人類行為典型的帶騷擾性的術語嗎？」

「騷擾性？但那用在昆蟲上很合適，」盧弗金對聽衆的竊笑感到很高興。

塞麗絲汀並不欣賞盧弗金那辛辣的反駁。「盧弗金教授。」她大聲地說，「我的用詞也許不太恰當，但我提這個問題是有其道理的。」

盧弗金短暫但尖銳地盯了塞麗絲汀一眼。他這時拿起他的筆記，像報導完新聞的節目主持人似的，將它們在桌面上叩齊。他思索著，這是他們在機場對話的繼續嗎？如果是的話，他決定簡明扼要。

「好吧。讓我們說說『一夜風流』這個詞。很顯然你不贊同我用它是因為你不贊同這種行為。也許我把它用在一個嚴肅的科研報告的標題裡是我的輕率和大意。但是它確實起了效果，不對嗎？」他手指著濟濟一堂的講演大廳。「我沒有別的意思，我只是用這個詞表示一類簡短唯一的事件。不要馬上給雄蜂或者給我附上男性沙文主義的動機。雄蜂也並不是在利用雌蜂。我想說的是如果你將昆蟲的性行爲擬人化，那是不合適的。假如沒有其他提問的話……?」他迅速地瞥了聽衆一眼，拿起他的筆記下了講台，闊步朝珍·阿德莉坐的座位走去。

第十五章

他們開著菠娜的Volvo小麵包車從索爾家出來，大提琴小心地放在車後座。「倫納德，」菠娜打破自拉文斯伍德路就開始的沉默，「你今天與我第一次見到你時的印象不一樣，有些悶悶不樂。你今天的演奏糟透了，恐怕德弗萊克（Dvorák）在墳墓裡都得掩住他的耳朵。」

康特苦笑了一下，「我知道。」

「所以告訴我發生了什麼事嗎？幾週前你還很得意，一生中最重要的實驗結果如你所料。你告訴我，從未有人像你這樣能夠親自做出這樣的實驗工作，現在又怎麼回事了呢？」

「菠娜，先回答我一個問題。爲什麼你會與我這樣的人社交？」他若所有思地問。

「社交？天那，倫納德，這眞是一個多麼討厭的詞眼，我們難道只是社交？」

康特嘆了一口氣，「那你說吧。」

「『友誼』有什麼不對？」

「沒有，友誼本身沒有錯，但爲什麼用在我身上呢？」

「噢，倫納德，」她邊說邊伸出右手捏了一下他，「你眞是個大傻瓜。道理很簡單，明白不過，你不會使我感到厭煩。」

「也許是因爲我們接觸還不夠。」

「也許是吧，但你不要太謙虛。你是一個深沉的男人，有多重性格。你知道索爾是怎樣描述你的？『I.C.是個人物。』這話出自於他可眞是種讚美。」

「我們早在大學時就認識了。」

「正由於這樣，這更算得上是句讚美的話。它是……你是怎麼說的來著，生物統計意義更大？」

「菠娜，」康特的不安似乎在黑暗中緩和了一點，「所以因爲我是個人物嘍？」

「不完全如此。」她立即回答道，注意力從車道上轉移過來。「我想知道你的各個不同特徵是怎樣結合在一起的。現在，正當我以爲我開始瞭解你時，又有些東西摸不著。你到底怎麼了？也許我不應該問？」

康特啞口無言。這種沉默之長，使得菠娜擔心地看著她的伴侶：他的臉被迎面開來的車燈照亮了。她遲疑道：「我想我不應該問你的。」

「不，不是這個。」康特的聲音裡缺乏了通常那種男子氣的韻味。「在那兒停一下吧。」他用手指了指街道邊，菠娜剛把車靠在路邊，康特就伸手過去熄了引擎。他突然冒了一句：「斯達福辭職了，他決定到哈佛去跟克羅斯做，卻未告訴過我。我還是在克羅斯打電話來索取推薦信時才知道的。」

「哦，現在我明白了。」菠娜同情地說。

「不，你不清楚。」康特忿忿不平地說著。

「這樣做確實有點不知好歹。……」

「當然。」他做了個極不高興的動作。「這封推薦信我該怎麼處理啊？」

菠娜迷惑不解的抬頭道：「倫納德，寬宏大量一點。你說過他是你最好的助手之一。而且他確實也完成了那個非常重要的實驗。」

「那個實驗！」他譏笑了幾聲。「那個實驗，或者你所稱的『那個非常重要的實驗』是假的。」

康特接著說起他在辦公室裡揀到的那封信；爲什麼他沒有向任何人提及；爲什麼他的第二個獨立的實驗對他的腫瘤理論至關重要；還有現在他剛剛取得成功，又陷入了沒頂的困境。如果他拒絕寄推薦信，他就不得不親自向克羅斯解釋。說穿了，他不能爲了留下斯達福而不願推薦他最好的學生。但是如果康特寫這封信，就意味著他以後再也不可能抹掉康特—斯達福實驗而又不牽連到自己。寄給克羅斯一封充滿熱誠的推薦信，則將使他再也不可能撤下所謂的康特—斯達福實驗。斯達福這種有恃無恐的要挾，他還唯有恭命聽從，別無其他選擇。「向來只知道傑利非常聰明，但從未想到他竟這麼工於心計。」康特的頭緊靠著椅子，雙眼透過車窗玻璃死死盯著前方。

菠娜終於打破了沉默。「倫納德，」，她扯扯他的衣袖，輕聲道：「你怎麼知道斯達福在你的實驗室裡到底做了什麼？你又怎麼斷定他是在欺騙你？那也許是某人出於對斯達福的妒嫉而做出的下流行爲。你難道不認爲爲了公平處理，應該與斯達福對質嗎？」

「與他對質？」康特顯得十分震驚。「如果他承認的話，我就不得不撤回那篇《自然》雜誌上的文章。即使我已經發表了第二個實驗，但沒有任何人會忘掉這些。一旦你與謠言沾上了邊……」

「但是你不會受到指責！」

「那能不受指責呢？每個人都只會這麼認爲，我自己也這麼認爲。一旦你們一起發表了文章，就應當共享榮辱。」

「這就是你跟我說的那個『社會合同』？」

「對極了。」

「但是如果斯達福能對他在那個星期天晚上到你實驗室有一個圓滿的解釋呢？」

「這眞有點像奧塞羅。一旦種下了懷疑的種子……」

「倫納德，」她細聲說道：「這個實驗不是希臘神話。而且，你可以自己單獨重複斯達福的實驗，對不對？」

「那樣將花掉好幾個星期的時間！如果又重複不出來，怎麼辦呢？是由另一個未知的變量因素造成的？是我的實驗技術太差勁？還是斯達福在作假？我的方法較爲明智一些。」

「只是安全一些，並不一定是明智吧。」

「我們不要爭辯了，」他不悅地說，「毫無疑問，克羅斯或任何其他人能重複出我的實驗，這樣可以平息任何對我的腫瘤理論的質疑。有朝一日，我會回到斯達福的工作，看看我是否可以重複出來。如果失敗，我會在以後某篇文章的下腳標寫註明重複斯達福實驗有困難。到那個時候，無人會留意。這將是一個無任何實際後果的歷史註明。難道你不認爲斯達福背著我向克羅斯申請之事，清楚地表明他做賊心虛嗎？」

「你又怎麼肯定？你告訴我，你將自己完全關在實驗室裡，怎麼拒見他人，包括我也在內。你從未告訴過斯達福你做的工作，對吧？」

「對。」

「是嗎？這就對了。你過去最親密的合作者已被涼在一邊了。你爲何不設身處地的想想他這段時間的感受？大概他已敏感到你的不信任。也許他認爲到克羅斯那裡去，到那位最先對他的工作質疑的人那裡，可以澄清他自己。」

下一個星期一，康特寫出了這封推薦信。七月底斯達福就到哈佛去了。

第十六章

十月十一日早上那二十五分鐘的時間，是康特一生中最高興的時刻。清晨六點，他正在洗澡時，電話鈴響了。持續不斷的鈴聲驅使他濕淋淋地走向床頭的電話。

「艾思多·康特教授嗎？」這位男人的口音陌生，加之，已有幾十年沒人稱呼他艾思多·康特了。

儘管胸中湧上一股興奮，他決定裝出漠然無事。「請問是誰？」

「是斯德哥爾摩《瑞典日報》（*Svenska Dagbladet*）的路德·荷門（Ulf Lundholm）。」

「哦？」康特心中充滿了掛慮、渴望、得意，還有些微難掩的矯情，使得他幾乎發不出聲來。他想裝作泰然自若，但是他的心膨膨直跳。他腦子的一部分已失去了它的沉著。憑著仍在正常工作的那部分，他發覺他正在詫異著，爲什麼第一個報告消息的總是記者。他更加堅定地回答道：「對，我就是艾思多·康特。」艾思多·康特，天那，這聽起來完全像個陌生人！「你有什麼事？」

「恭喜你獲得諾貝爾醫學獎。」康特並不在乎這些令人心醉的詞語，事實上，他們來路不明。「我想知道你有何感想？」

「感想？沒有，我甚至不知道這消息是否屬實。」康特回想起維生德（Vincent du Vigneaud）的難堪。當有一位記者祝賀他獲得諾貝爾獎時，他當衆表露了他的感激和喜悅。結果那是個爲時過早的消息。就維生德這事來說，這位記者竟提前了整整一年。

「康特教授！」路德·荷門有點被激怒的樣子。「你總不會認爲我從斯德哥爾摩打電話來只是爲了開玩笑吧？」

「我又怎麼知道你是從斯德哥爾摩打來的電話？」即使這有對打電話人不恭的危險，康特認爲還是謹慎一點好。加之，他感到很自得其樂。

路德·荷門反擊道：「我可以把《瑞典日報》的電話號碼告訴你。這樣你可以打到斯德哥爾摩這兒。」

「請不要介意。」康特回答著。此時的他更是得意洋洋。「我會談談感想，只是現在請不要報導出去。」

「你對獲得——」康特似乎可以看到對方正起身深深地鞠了一躬。「諾貝爾獎有何感想？」

「說實話，我還沒有想過這個。如果是眞的話，我眞是很感吃驚；」他重複一遍，以加強語氣。「如果是屬實的話，那這不僅僅是一個極大的榮譽，而且也是對我及全體合作者多年來的努力的認同。」

這類陳腔濫調的回答，在大多數記者，尤其是瑞典記者看來，只是一個形式而已。就連恪守慣例的路德·荷門也期望更爲生動的回答。他發起了另一個進攻。「教授，你將怎樣運用這筆獎金？你決定了怎樣花費它沒有？」

康特被擊退了一步。對開頭的演講，他已排練過多次。但他從未想過錢的事。「沒有。……沒有。當然沒有。我想都沒有想過它。」

儘管這個回答是完全自發的，這位記者聽起來仍疑心重重，「可是你知道該獎會給你帶來多少獎金的吧？」

康特又一次吃驚地意識到自己的毫無準備而吃驚。他的回答結結巴巴斷斷續續，而這正是記者們在這種場合所喜歡的——當然，這可被誤認爲是一種不諳世故的淡然。「哦，我知道有很多，但是不清楚到底有多少。」

這位斯德哥爾摩的記者剛剛放下電話，康特就打開了收音機，他剛錯過那麼幾個關鍵的字句：「……這就是今年的諾貝爾獎。文學獎得主將於下星期宣布。」

該死的，康特心中想道，我是該熬到七點鐘播新聞時才聽獲獎人的名字呢，還是該給廣播電台打個電話？其實他什麼都不用做；沒過多久就來了第一個電話。打電話的人是庫爾特·克羅斯。

「I.C.，」他的聲音聽起來既熱情又興奮。眞心的喜悅似乎順著電話線傳流了過來。

「我希望我是最先向你道喜的人之一。你確實該得到這個諾貝爾獎。這也顯示出我選擇候選人的能力。」

康特想說些謙虛的話，然而使得他不悅的是克羅斯說個不停。「猜猜剛剛賴特西馬（Lurtsema）在電台宣讀這消息時說了些什麼？」

「我不知道。」康特堅持道：「我連賴特西馬是誰都不知道。」

「WGBH台的新聞發佈人。這個無關重要。猜猜他說了些什麼！」庫爾特逗道。

「好吧。」康特決定也玩玩。「中西部的癌症專家獲得了諾貝爾獎。」

「錯了！」庫爾特凱旋般地叫道：「賴特西馬是以『又一位哈佛人獲得了諾貝爾獎』開頭的。你能抵擋得住這種本土沙文主義嗎？典型的哈佛。」

「我不太明白。」康特的話中充滿了疑雲。「他為什麼會這麼說呢？」

「你這是什麼意思，給弄糊塗了？你這中西部的鄉巴佬，我們可是十分熱中於增添獲獎人的數目。這裡人人都將斯達福算做是哈佛的人。不可思議吧，對不對？」

這正是六點二十八分，在昏暗的臥室裡，半裸著身子的康特全身冰涼，感到這一天的壞事已被鑄成了。

在大多數人看來康特—斯達福的齊名分享是很公平的：那篇關鍵的文章，簡潔但透徹地描述解釋了腫瘤起源的通論，並帶有第一個的實驗驗證，同時署了康特與斯達福的名字。斯達福之所以被聯名授予該獎，可能起因於一九二三年，當年潘汀（Banting）和麥克里歐（Macleod）由於潘汀和查理·白思德（Banting and Charles Best）對胰島素的發現而獲得了生理學或醫學諾貝爾獎。大衆對於白思德，這位多年努力不懈，與麥克里歐一起做出了那關鍵實驗的年輕人所遭到的不公平待遇憤憤不平。自此以後，諾貝爾獎評審委員會改良從正，很注重於對年輕合作者的認同。近在一九八四年就有這樣一例：米爾斯坦（Milstein）和耶納（Jerne）與另一位甚爲年輕的合作者喬治·柯爾（Georges Koehler）一起因爲對抗體基因剪接技術的研究工作而分享諾貝爾獎。

電話鈴聲一直響到第十一次，利亞才摸黑抓起話筒。她睡意朦朧道：「哈囉。」

「利亞嗎？我是傑利。我必須與塞麗講話。」他的語氣急促。但利亞睡意濃濃並沒察覺。

「什麼事呀？」她嘀咕道。

「利亞！我要與塞麗講話。」他重複道。

她伸手打開電燈，「老天！你知道現在是什麼時間嗎？」

「我知道，」他不好意思地說道，「剛過七點，但是——」

「現在是六點正，你這個混帳的傢伙。待會再打過來！」

「請等一下，利亞請等一下。對不起我忘了時差，但是我現在必須馬上跟塞麗說話，十萬火急。」斯達福的懇求聲使得利亞沒有一把丟下電話。

「哦，很抱歉，傑利，她不在這裡。」

「你這是什麼意思，她不在你那兒？清晨六點鐘不在你那兒？」

「難道我講得還不夠清楚嗎？」利亞仍然怒氣未平：「我現在可以再回去睡覺了吧？」

「等一下。不要掛掉。你不知道她在那兒嗎？我必須找到她啊。」他的聲音急切，使得利亞動了惻隱之心。「我知道她在那兒，但我不能肯定你是否能找到她。你要留話嗎？」

「不。我必須馬上與她談話。你有她的電話號碼嗎？」

「不，我沒有。」

「哦，天那！利亞，」他聽起來怪淒涼可憐的。

「等等，也許我可以在電話本上找到。」她蹣跚地下了床，走到廚房。那個鬼羅傑的姓是怎麼寫的呢？她心裡想著。聽起來像是多蒂，但電話本上沒有這個姓。她身著睡袍，雙腿已冷得發抖。正當她要收兵時，她找到了：多克蒂。

「這是誰的電話號碼？」斯達福問道。

「她的一個朋友的。好了好了，晚安。」她搶在斯達福問這是誰的姓名之前，一把掛斷了電話。

斯達福立即撥了這個號碼。兩聲鈴聲之後，就聽到了 Gimme Shelter 演奏的吉他樂曲聲。「天呀，」他尖叫道：「是個答錄機。」吉他聲中闖出一個男人的聲音，「這是羅傑。如果你要留個口信的話，就等到嘀聲之後。留言要簡單明瞭。」

斯達福絲毫不在乎這些話語，急促說道：「這是個十分緊急的口信，是給塞麗絲汀·布勒斯的。請讓她立即給傑利打電話，號碼是——」他對著話筒重複說了兩遍電話號碼後，說聲「謝謝」就掛斷等待。最後他意識到，如果他們還在睡覺的話，這根本就沒有用。這個叫做羅傑的混帳是誰？只怕他要幾小時後才會聽到這個口信。他決定不斷地打過去，直到有人給吵醒。

直到第四次時，才聽到有眞正的人的聲音拿起了話筒。「喂？」斯達福猛的一怔，等聽到第二聲，顯得更加不耐煩的「喂」之後，他才醒悟過來，說要找塞麗絲汀。

「塞麗，是找你的，」他聽到被捂住了的聲音說道：「你接不接？」

「是誰呀？」電話筒裡傳來塞麗絲汀急切的詢問聲。

「塞麗，這是傑利。」他未等她回答就急促地說：「我知道現在太早了，但是塞麗你必須幫助我，你是唯一能幫我的人。」

「傑利，怎麼回事？」

「我不能夠在電話裡告訴你，我必須與你面談，我現在已在機場了。我將搭七點二十分的飛機。請來接我。」

「好吧，但是告訴我——」

「塞麗，請不要告訴任何人我來了。還有，」他催促道：「請答應我，在見到我之前請不要打開電台、電視。」

塞麗絲汀一下坐直在床上。「傑利，你是不是遇到麻煩了？」她壓低聲音問道。

「我見到你後再告訴你。我得跑著去趕這班飛機了。」他答完就掛斷了電話。

「哎，塞麗，感謝上帝，你來了。」

「傑利，怎麼回事？」塞麗絲汀在他一放下擁抱的雙臂後就立即問道。「告訴我。」

「不要在這裡。我們開車到紀念公園去。羅傑是誰？」

「我的幾個候選人之一。記住，今天不是週末。」

他們到了公園，塞麗絲汀就靠邊停了車，她朝斯達福轉過頭去。「現在告訴我，究竟發生了什麼？」

「塞麗，」他結結巴巴的說道：「我得了諾貝爾獎。」

「行啦，」她索然無味地說：「我沒有任何開玩笑的心情。尤其是半夜三更被你吵醒後。」

「不是半夜，是——」

「傑利，講直話吧，你的電話嚇著了我。你又將我拖了出來，到機場來接你。如果不正經一點，你自己從這裡搭乘便車回城去。」

「塞麗，我不是在開玩笑。這是眞的。」

塞麗絲汀盯著他。看到了他臉上那眞正的驚恐。他說的是實話。「你？你獲得了諾貝爾獎？」她喘著氣道，「你？」

「是的。我和 I.C.，他們今天早晨從斯德哥爾摩打電話來。接著克羅斯也打了電話，就在我給你打電話的時候。塞麗，我嚇壞了。」

她好奇地看著他。早先的擔心消失了。「眞不明白。每一位科學家做夢也想獲個諾貝爾獎，而現在你獲得了……」她哈哈笑道：「你一定是有史以來最年輕的一位獲獎者。沒有歡呼跳躍，欣喜若狂，你倒看起來像就要被槍決似的。你到底怎麼了？」

「我得下車，」他突然地說，推開車門。他們沿著一條小路默默地向前走著，直到他用手指了指一條長凳。在塞麗絲汀坐下之後，他面對著她，叉開腿坐著。

「我不配得到它。」

「傑利，住口。」她輕輕地將一隻手堵住他的嘴。「不要過分地使用這基督教徒的口氣。我知道，我明白：那理論是康特的構想。但這不該會使你如此不安吧？」

斯達福全身顫抖，好像被雷擊了一樣。塞麗絲汀伸出雙手扶住他的雙肩將他拉近。「傑利，你只是給嚇壞了。僅此而已。這種突如其來的巨大成功會使任何人神經緊張。你是應該得到它的，就像獲得它的任何一個人一樣。沒錯，這是康特的構想，但是如果沒有你的實驗，他就不可能在《自然》上發表那篇文章。」她突然向後靠了靠，雙眼注視著公園的遠方，嘴角露出一絲苦笑，「我眞希望有你這樣的痲煩。」

「不要這樣。」他叫道：「你難道不記得，克羅斯手下的大橋重複不出這個實驗。我在哈佛認識了他，他也很出色。」

「但是，傑利，你與康特一道重複了這個實驗。」

「那又怎麼樣呢？」

塞麗絲汀疑問地搖搖頭：「沒什麼。你們第二次做也成功了嘛。」

「但是克羅斯並未再重複它。」

「哦，我不知道這個。爲什麼呢？」

「因爲康特設計了第二個實驗，這個實驗完全由他自己獨立完成，他沒有對任何人說。」他向前傾了傾，以至於她可以感覺到他的呼吸。「塞麗，他竟也沒有告訴我。這實驗做成功以後，他就說服克羅斯放下我的實驗，集中精力去重複他的第二個實驗。克羅斯就這樣做了。但這個不是問題的癥結。問題的癥結在於，我意識到康特已不信任我。這就是爲什麼我寫信給克羅斯，請求他給我提供一分研究獎金。」

「是你給他寫的信？但是你告訴我是他意外地找上門的。」

斯達福低頭看他，「我說了謊。」

「又說謊？這次是爲了什麼？」她追問道。

「我想知道康特是否已給克羅斯寫過信告訴他爲什麼他不再信任我。事實證明，他沒有寫，要不然克羅斯就不會給我那研究獎金了。」

「爲什麼當時你沒有給我講過這些內情？」

「我做不到。」

「爲什麼呢？」

「因爲還有一些其他的原因。」

「說下去。」

「塞麗，」他停住了，手指甲深深地戳進另一只手掌。「當克羅斯重複不出我的實驗時，我給嚇壞了。我以爲是由於我的潦草筆記所致，使得我漏掉了一些重要的細節。當我在康特的實驗室裡重複這個實驗時，我格外小心謹慎。但是過了一陣子，I.C. 老是緊盯在我的背後，嚴格檢查我實驗報告本上的所有細節，使得我變得很煩躁。就在完成實驗的前一天——一個星期天——我剛剛回到家裡，突然意識到我白天激酶加太少了。」

塞爾絲汀突然注意到他那正在戳著手掌的指甲。她伸出手去一把握住他。輕聲說道：「然後呢。」

「所以我回到實驗室，沒有通知 I.C.，加多了一些酶。我不認爲這是什麼做假。我計算出先前我少加的酶的用量。只是補足進去而已。我知道我應當告訴 I.C.，但是我就是沒有這樣做。先前那個潦草的實驗紀錄本，現在又是這個愚蠢透頂的過失。I.C. 一定懷疑到了什麼，只是我不知道怎麼會這樣，因爲就在此事之後，他立即開始了他的第二個實驗。自此之後，他對我就判若兩人了。在他宣告他成功的實驗時，我去向他祝賀，他幾乎就要說出來了。這是我要到克羅斯實驗室去工作的另一個原因。我當時希望他會讓其他人重複我的實驗，我會在場目睹一切。」

「又去加多一點酶嗎？」她輕聲問道。

「我絕不會再這樣做了。即使你不相信這個，你難道不明白，康特實驗的成功也多少證實了我的第一個實驗？我應當有自信。不應該時時擔心著康特是怎麼看待我的。當時我需要的只是克羅斯再檢驗一遍。」

「他又檢驗過了嗎？」

「還沒有。不過上星期我已說服了大橋開始重複。」

塞麗絲汀又向公園遠方望去，瞪看了好一陣子，似乎她在心中拿著什麼主意。「現在又怎麼了，我的諾貝爾獎獲得者？」

「塞麗，請不要開玩笑。」

「開玩笑？你是個諾貝爾獎獲得者，你改變不了這個事實。」

「我改變不了嗎？」斯達福站了起來，在凳子前不安地走動著。「塞麗，你得幫助我，你是我唯一可以交談的人。我今天要見一見康特。」他轉向她問道：「你會跟我一起去嗎？」

「我？」塞麗絲汀給嚇了一跳，「我又能做些什麼呢？」

「請讓我講完。」他懇求道：「我自離開康特實驗室後，就沒有再見過他或跟他說過話。我感到非常不舒服和……一種犯罪感。我要求你在場不僅僅是爲了給我打氣，而是你可以做個旁證人。我打算告訴康特事情的眞相，然後向他解釋爲什麼我想撤回諾貝爾獎。」

塞爾絲汀一下子目瞪口呆。「你會這樣做嗎？」她終於說：「拒絕接受諾貝爾獎？你又會怎樣解釋呢？」

「我剛剛告訴了你。」

「不，不是向康特解釋。你該怎樣向大衆解釋？說你行騙了？這是不是有點太過分了？歸根究底，你是因爲第一個實驗而獲的獎；除非你沒有對我講實話，第一個實驗是成功的，對吧？」

斯達福點點頭。「是的。而且我堅信它會再次成功的。」

「那麼，傑利，爲什麼你要把自己釘在公共的十字架上？你若因此結束了科學生涯，你將再也找不到工作。爲這個過失付出那樣的代價不是太愚蠢了？滌罪也是應該的，可是，難道你要在地獄裡煎熬終生？來，坐下——」，她拍了拍長凳。「我們冷靜地討論一下。」

眞要在私下見康特，可不像他們想像的那麼容易。康特的實驗室充滿了喧鬧聲，自秘書一走進辦公室電話鈴聲就響了起來，自此之後就再也沒間斷過。史蒂芬妮後來乾脆將電話的插頭拔掉，走到報告演講室參加慶祝會去了。同事、系裡的頭頭、甚至連學校的校長也在場，擠在容光煥發，滿臉紅光的康特四周。這個時刻，康特暫時忘掉這是與人分享的諾貝爾獎。

斯達福馬上意識到他不能直接走到康特的辦公室去，這樣他會碰到不少認識他的人。所以他試圖透過電話來安排一個對雙方有利的地點見面。在電話打不通之後，他寫了一個條子，塞麗絲汀接了過來。現在她正站在人群的外圍，心中想到康特是否會打開緊握在她手中的那封信。信封上只寫有：「康特教授親啓。」她拿出一枝筆，在上面加上了幾個大字：「傑利米亞·斯達福。」這下該可以了，她想著，結果眞成了。她衝進人群，雙手舉著信封伸到康特的鼻子下。他如以往細細地看了兩遍信封。驚懼不安地打開信封，讀過條子後，他打量起這位信使來。她低聲問道：「有什麼話要帶給斯達福博士嗎？」康特示意她走到走廊上，粗率地問道：「你是誰？」

她回道：「塞麗絲汀·布勒斯。」

對名字的記憶可不是康特的專長。即使是的話，在這麼個場合回想起這個在幾個月前曾被菠娜·柯里提及過一次，也在電話裡出現過一次的名字，似乎不那麼通人情。「我是傑利的朋友。」她補充道。

「告訴他到——」康特開了個頭，然後四處張望了一下，好像在尋找什麼，「到我家去。我最快也要到中午以後才有空。告訴他兩點鐘。」

「很奇怪，」斯達福站在前門口等開門時，對塞麗絲汀說道：「我跟他做了六年，今天是第一次被邀請登門拜訪。」當他聽到門頭開動門閂的聲音時，他咕噥道。「我眞希望我們不是約在這裡。」

「傑利，請進。」康特一邊打開門一邊說著，然後聲音突然中止了。不錯，他吃驚地發現還有第三者。

「謝謝你這麼快就見我。」斯達福緊張地說著：「這是塞麗絲汀·布勒斯，我的……。」他停了下來往後看了看站在他左邊身後的塞麗絲汀。他脫口而出：「我的未婚妻，希望你不介意她與我們一起談。」他急不可待地說道：「哦，教授，首先讓我祝賀你。你一定欣喜若狂，因你是實至名歸。」

「是呀，那你呢？」康特遲疑了一會，使得塞麗絲汀心中猜疑著該問題的實意是什麼。「你難道不高興嗎？」他終於說道，臉上露出一絲含意不清的微笑。

「這正是我來訪的原因。」斯達福一邊走進大門，一邊說道：「我得坦白一些事情。」

康特的回答雖唐突，但正說到了重點上。「這不是坦白的時候，傑利。今天是慶功的時候，請進，請坐。您們想喝些什麼？小姐是……」他看了一眼塞麗絲汀。

「布勒斯，」她立即補充道：「塞麗絲汀·布勒斯。」

「哦，是布勒斯小姐。我去拿些香檳。我們得好好慶祝傑利的諾貝爾獎。還有你們的訂婚，是不是最近的事？」他臉上露出模稜兩可的微笑，雙眼從斯達福掃到塞麗絲汀，又掃回到斯達福身上。「我不知道你已訂婚了。……你在我實驗室工作的時候還沒有訂婚。」

斯達福滿臉通紅，不敢正視塞麗絲汀。他不知道她將如何扮演未婚妻的這個新角色。他咕噥道：「我們從未談及個人私事。」

康特承認道：「這倒是眞的。也許我們現在該補償補償。先讓我給你們取些香檳來。」

「好啊，」康特一離開房間，塞麗絲汀就說，「我竟不知道我與一位諾貝爾獎得主訂了婚。」

「塞麗，求求你，不要生氣。我不知該怎麼回答好。」

「誰說我生氣了？」她回答道。「我只是在盤算著一位諾貝爾獎得主可以付得起多大的一顆鑽石訂婚戒指。」

「塞麗！」他的聲音中夾著懇求和警告，「別忘了我們來此的目的。」

「哦，我忘了，」她接著說，「你正要拒收諾貝爾獎呢。那麼，一位博士後就連最小的一個鑽戒也買不起。」

「好了，都齊了。」康特邊將裝有三隻酒杯和一隻冰桶的盤子放在咖啡桌上邊說。「我們還得等一等，讓香檳冰鎭一下。同時，能不能告訴我，大喜日子在什麼時候？」

斯達福滿臉不知所云。「大喜日子？」

「當然就是婚禮了。」康特笑了起來，有些不自然。

「哦。」他透不過氣來。

塞麗絲汀爲他解了圍。「我們還沒有確定日子。這得依我們職業工作的計劃而定，到那裡去工作，等等諸如此類的事。傑利要找一個大學老師的工作──」

「哦，這應該不難。」康特插嘴道，「對一個諾貝爾獎得主來說不會困難。那你呢？」他看了看塞麗絲汀。「你是做什麼的？」

「明年我就可以拿到博士學位。是有機化學的。我也申請做學術工作。」

「你指的是博士後研究獎金嗎？」

「事實上，不是那個。」此時斯達福不無吃驚地看著塞麗絲汀，而她卻故意避開他的眼光。「已有人爲我提供了一個助理教授的職位。說眞的，可以算是兩個。」她有意識地笑了笑。

「是在那裡呢？」康特開始好奇起來。

「威斯康辛大學。還有──」她停頓了一下，因爲她知道她會得到什麼樣的反應──「哈佛大學。」

「哈佛大學？」康特和斯達福同時脫口而出。

「對。」她故作無事地答道。

「那麼你們兩人都將在波士頓，眞幸運。」康特說道。

「你爲什麼會這樣說呢？」

「布勒斯小姐。你忘了你是將與一位諾貝爾獎得主結婚。即使他沒能在哈佛大學得到職位，他也可以在ＭＩＴ——」

「或波士頓大學（Boston）或塔夫斯大學（Tufts），布蘭德斯大學（Brandeis），」她插嘴道，「但是我也還不知道最後我會選擇那裡。我可以等到明年二月才做決定。天知道，在那之前我說不定還可以得到一、兩個工作機會呢。」

康特向前傾了傾。「還會再考慮這些學校嗎？你說你的專業是什麼來著？與誰一起工作？他聽起來像是一位交際很廣的人。」

「珍·阿德莉教授。」

「阿德莉？珍·阿德莉？我不認識任何——」他止住了。「哦，對了。我從未見過她。她在化學系，對不對？那麼布勒斯小姐，你一定是——」他突然站了起來，「我去取餐巾紙，」他很快地說道，「該打開香檳酒了。」

「塞麗，」斯達福低聲說道：「你從未給我提過這些工作。這都是什麼時候的事？」

「你也從未給我說過你的事。放輕鬆，」她邊說邊拍了拍他的手臂。「我是幾週前才從電話裡得到這些消息的。我原打算等我到哈佛大學拜訪時讓你吃一驚。他們似乎都很欣賞我的蟑螂激素的研究工作，尤其是我們已成功地做出了病毒結合（Virus incorporation）。對化學家來說，我現在看起來像一位走紅的生物學者：這是不可抗拒的。」她朝身後的門看了看，「記住，等康特回來，我們最好馬上談談你的事。」

「教授，」斯達福沒有用「I.C.」這個隨便的稱呼。「請先別開香檳。我說過我是來坦白一些事的。」

「我也回答說過，這不是坦白的時候。」康特乾巴巴地說道，「我可還沒準備好充當懺悔神父的角色。行啦，夠了。」他伸手去拿酒瓶，但是斯達福一把按著。

「I.C.，求求你。」他的聲音中充滿了痛苦。「請聽著，我不能接受這個諾貝爾獎。」

康特張大了嘴，但一言不發。

斯達福急促地說道：「I.C.，我不配獲得它。對此你心中與我一樣的明白。那理論是你自己想出來的，你設計了實驗，你自己做了——」

「傑利！」康特聲色俱厲。「諾貝爾獎是因爲我們發表在《自然》雜誌上的文章才被授予的。是我們，傑利：康特和斯達福。我們還是不要再對瑞典的委員會質疑了。」

「可是，I.C.！這正是我想與你談的。那第一個實驗——我們一起發表的那個。」

「而這正是我不想聽到的東西。」康特厲聲道。「不是在這裡。」他看看塞麗絲汀然後看看斯達福，——「也永遠不要。我很清楚那個實驗，已不要再多說了。」

斯達福絕望地四處打量。「好吧，就忘了那個實驗吧。但這是你多年爲之努力，你期望獲得的諾貝爾獎。」

「得了，傑利。」

「好吧，我們實驗室裡每一個人都期望得到它，克羅斯也期望它——他本人就親口跟我說過。它不應該被那位分享——」

「那位什麼，傑利？那位實驗第一次不可以被重複出來的人？這沒什麼？傑利。許多人都有過這樣的痲煩，尤其是像你的那個那麼……那樣困難的實驗。」康特的語氣突然從挖苦轉爲一半懇求，一半責備。塞麗絲汀心中納悶，傑利爲什麼還不住嘴？他難道沒聽到康特所說的？

「就忘了這個該死的實驗吧！我就是不可以接受這個獎。我會拒絕它，並向委員會提出——」

「是卡羅尼斯加（Karolinska），傑利。」康特冷靜地觀察到。

「對不起，請再說一遍？」

「諾貝爾醫學獎是由卡羅尼斯加研究院頒發的，不是委員會。委員會只頒發化學和物理獎。」

「不管是誰！我要跟他們說，他們弄錯了。該獎應該全部授予你的。」

「傑利，冷靜一下。」康特的聲音裡充滿了慈父般的溫情。「這隻船已起航了。事實已不可再改變。諾貝爾獎是不可以被拒絕的。」

「不可以嗎？」斯達福和塞麗齊聲問道。

「不可以，傑利。」康特對塞麗絲汀笑了笑。「讓我告訴你們，布勒斯小姐，這可能對你也有用，因爲你是一位很有潛力的化學家。」他轉向斯達福。「你是對的，我一直希望得到諾貝爾獎。那個科學家不期望？我一生中已遇到過不少該獎的得主。我也讀過不少關於該獎的書。不只一次，已有幾個諾貝爾獎委員會徵求過我，讓我爲候選人提名。順便說一句，傑利。」——康特向他的這位愁眉不展學生眨了眨眼睛。「現在我們每年都可以爲候選人提名了——這是對於一個獲獎者的附加價值之一。可不要小看它。突然間你就會看到，各式各樣的人都對你如何地好起來。譬如說克羅斯……」

「我還是先解釋一下爲什麼你不可以拒絕諾貝爾獎。當然你可以將一半的獎金分給人，盤汀就給了白思德一半他的獎金。順便提一句，這個故事你有時間時也許可以讀一讀。不僅僅是因爲那位令盤汀憎恨的系主任麥克里德，讓他的另一位合作者詹姆斯·柯利普（James Collip）一道分享了他的另一半錢。——還由於對早期胰島素實驗結果的重複驗證有些困難。傑利，明白了沒有？就是盤汀和白思德的實驗也有過麻煩。而這位麥克里德在實驗室裡從未做過任何實驗！」他意味深長地看了斯達福一眼。

「如果你查看諾貝爾獎的正式官方名單，你將看不到白思德和柯利普的名字。他們只分享錢財，而不是該獎。你看這個獎不是你所能接受或拒絕的。事實上，我還不知道有過任何科學家拒絕過諾貝爾獎。哦，有過三個德國人，庫恩（Kuhn）、多馬克（Domagk）和布特南特（Butenandt），但他們沒有接受的原因，完全是因爲希特勒的禁錮。戰後，他們立即就改變了主意，去領回了他們的獎牌，但是沒有得到獎金。你必須在一年之內去領回它，否則就喪失這個權利了。傑利，好好想一想。我不清楚記者是否已找上你了，如果還沒有的話，你很快也就會聽到有關的事。你的那一部分金額是十五萬美元。最好問問你的未婚妻她對你拒收這個是怎麼想的。」

「那麼原則上說，從未有人拒絕過諾貝爾獎？」塞麗絲汀問道。

「事實上，有一個人拒絕過：文學獎的瓊—保羅·沙特（Jean-Paul Sartre），基於哲學上的原因，他拒絕接受，既沒接受獎牌也沒接受獎金。但我要說的是：如果你查查一九六四年諾貝爾獎的名單，你就會在其中發現沙特的名字，與醫學獎的布拉克（Konrad Bloch），化學獎的波樂西·霍奇金（Dorothy Hodgkin），以及所有其他該年的得主們並排著。」

「那麼我該怎麼辦呢？」斯達福的問話顯得那麼的無助，使得塞麗絲汀忍不住插嘴了。她說道：「康特教授，你已經知道傑利的感受了。你認爲他該怎麼辦？」

康特一邊慢慢地捋著他的下巴，一邊盯視著斯達福。塞麗絲汀心中想道，眞不知道他到底在想些什麼？「你所不能做的一件事，」，他慢慢地說著：「就是拒絕它。我也不會同意你這麼做——既是爲了我自己，也是爲了你。傑利。在我這麼努力工作讓他們平息下來之後，我不願意引起麻煩，所以你不如就從容地接受下這個獎，並且——」，他停頓了一下，「如果你願意的話，謙虛一點。」

「我怎麼才做得到？我在斯德哥爾摩又該講些什麼？我得在那裡發表演講，我又該報告些什麼？我的實驗？」

「哦，」康特說道，臉上露出了笑容，這種不加掩飾的滿足的笑容，沒有逃過塞麗絲汀的眼睛。「我知道你會明白的。現在我們談的是一個實在的問題，而不是假設的。說實話，就在克羅斯打來電話以後，我想過這個問題。順便問一句，他是否也給你打過電話了？」

斯達福點點頭。

康特的臉上又露出了擔憂的神色，「是嗎？你說了些什麼？」

「沒有什麼。我只是謝謝他，並告訴他，將立即回到這裡。」

「太好了。」康特甚感慰藉地說。「現在，我來講講我的計劃。我們是因爲共同的發現而分享諾貝爾獎。不像盤汀和麥克里德，是同一個系裡的仇敵，也不像顧立明和夏利（Schally）他們先是在同一個實驗室裡開始假設性的研究下丘腦荷爾蒙，而後竟會在不同研究所痛苦競爭而結束。我們將以同一個實驗室裡，一起發表文章的合作者來演講。忘掉你剛才在這裡所講的那些——我希望到此爲止。」康特意味深長地看了看他的兩位聽衆。「我們之間並不存在關於誰應當或因爲什麼得到名利的問題。」

斯達福提出道：「大家都知道，那理論是你想出來的。」

康特答復道：「可能是那個樣子。我們可以隨我們所願來分別講述報告。」

「這正是令我不安的地方。」斯達福低聲說道。「你將談論你的理論，那確實是個奇妙無比的想法，然後我接著描述那個至今無人在任何地方將它重複出來的實驗。我所能說的，只是確證的失敗，不一定是失敗的確證。」

「錯了！」康特得意地叫著。「你將先講，討論我們在一起發表過的理論，然後我接下來討論我的第二個實驗，這個實驗我還沒有投稿到《自然》雜誌上。明白了嗎？這解決方法既簡單又明瞭，而且我還會報導一些新的從未發表過的東西。好了，現在該是打開香檳喝酒的時候了。Skoal！乾杯！傑利。你最好也學學瑞典人是怎麼喝酒的。」剛說到這裡，他「噗」的一聲打開了酒瓶的木塞子。

「終於等到了！倫納德，這眞的是你的聲音嗎？你知不知道一整天都找不到你？」菠娜一點也不給他回答的機會，「眞是太棒了？你一定欣喜若狂。你的感覺如何，是不是覺得像永生不朽？」

康特很高興，「永生不朽？哦，得了，菠娜，我與你上次見到的那個人沒有兩樣。」

「我眞等不及與你一道慶祝。索爾打通你的電話了沒有？我想他還沒。但他有了一個好主意，他答應再找一個小提琴手。我們將一起演奏莫札特的四重奏。他建議演奏 Kochel 516，他眞不錯。你知道這部曲嗎？在小步舞曲部分，由中提琴領著兩個小提琴。我已經看過總譜了，你一定會喜歡它，尤其是其中的柔板。什麼時候可以見到你？」

康特正四肢伸展橫躺在床上，既滿足又疲倦，電話夾在他的脖子上。這是很令人興奮的一天，他的臉龐由於笑得過多而隱隱作痛。尤其是在與斯達福談話之後，他覺得很舒坦，此時他心情十分愉快，很願意與一位有眼力的聽衆再好好聊聊。「天知道我什麼時候會到芝加哥。我剛剛才開始構思八週內該做的事，也是我該去斯德哥爾摩的時候。」

「那麼你有足夠多的時間。除了看看你的小夜禮服是否還合身，你還該做些什麼?你該有一件小夜禮服的吧，對不對？」

「小夜禮服?是的，我有一件，但那件不行。我需要燕尾服!記住，該獎是由國王授予的。」

「還有禮帽？」菠娜的喜悅溢於言表。「你是不是還要排練怎麼鞠躬至腰下部？」

「我還得練習跳舞。在諾貝爾獎的晚餐以後，還有一個大舞會。」

「你怎麼對這一切這麼清楚？」菠娜顯得很吃驚，「該不是今早瑞典人才告訴了你關於這些燕尾服和舞會的事。」

「不是，」他格格笑了起來，「我是從至少三個不同的諾貝爾獎得主打來的祝賀電話中得知的。其中有一位甚至告訴我將會住在大酒店一角的套房裡。窗外可以看到河，斯特勒門（Ströömmen）的入口，皇宮就坐落在橋的另一邊。他不僅帶了他的妻子、小孩，還帶了岳母大人。至於我對主辦單位來說他們可是省去了一筆費用——我沒有妻子、沒有小孩、也沒有岳父母大人。」

菠娜渴望地說：「我只去過一次斯堪地維亞，還從沒有去過瑞典。告訴我今天你是如何過的。」

「哦，你可以想像有多少人到了我的實驗室。就連大學校長也來了。我在生命科學大樓從沒見過他。猜猜還有誰到了這裡？」

「不知道。」

「你的親戚。」

「親戚？我的侄女塞麗？你又是怎麼見到她的？」

「她與傑利·斯達福一道來我家了。」

「斯達福？我幾乎忘了。對於和學生分享諾貝爾獎有何感想？」

「大多數諾貝爾獎都是分享的。」康特故做隨便，「丈夫與妻子；父親與兒子；教授與學生；痛苦的競爭者與痛苦的競爭者——各種各樣的排列組合。我認爲只有教授與學生和父親與兒子是最好的搭配。」

「父親與兒子？有許多這樣的例子嗎？」

康特很高興這個離題的問話，他沉入到講課的思緒中。「有好幾個兒子繼承父志也取得了諾貝爾獎。還有一個女兒：伊蓮娜·約里奧—居里（Irène Joliot-Curie），但至少有一對父親與兒子同時得到了獎。那是一九一五年的布拉格父子。事實上那兒子，威廉·布拉格（William L. Bragg），是歷史上最年輕的諾貝爾獎得主，只有二十五歲。他贏斯達福至少三年。」最後一句話在不知不覺中溜了出來。康特眞該咬住他的舌頭，只是太晚了一點。

菠娜不放鬆這個話題，「斯達福到那裡幹什麼？我以爲他已棄你而去，投奔哈佛那個人……」

「克羅斯。對。他現在還跟著克羅斯。但今早他一聽到得獎以後，就直飛回這裡。」

「與你一道慶祝嗎？」

「不完全是。」康特小心地回答。

「那麼爲什麼？」

康特心想，我最好還是告訴她。她是唯一知情的人。「事實上，他是來通知我，他決定拒絕領這個獎。」

「什麼？」

康特很高興聽到菠娜那吃驚的尖叫。「他覺得他不配因一個實驗而得獎。事實上，他堅持要坦白什麼事，我制止了他。我可以猜得到他要說些什麼。我絕不願意聽到它。」

「你的意思是你仍然決定不願聽到不愉快的事?甚至是在獲得了諾貝爾獎之後，也是如此？」

「現在更是如此。」

他語氣中的某種東西警告了菠娜，「那麼，他想拒領這個獎。你是怎樣制止他的？」

「我指出他不可能拒絕。歷史上曾有人徒勞過——」

「帕斯捷爾納克（Pasternak）不就拒絕了諾貝爾文學獎嗎？」

「哦，是的。」他楞住了。康特眞是吃了一驚。他竟忘了關於帕斯捷爾納克的事，「那是因爲政治因素，不是嗎?無論如何，這沒有關係:我相信帕斯捷爾納克的名字仍在諾貝爾獎文學得主的名單中。不論怎樣，我說服了傑利，我想他也明白了這是沒有辦法逃避的，除非他造成了很大的傷害。」

「對誰有傷害？」

「當然是對他了。儘管也包括我，但我沒有這麼提。這不是引起他不安的原因。你知道他擔心的是什麼嗎？是諾貝爾獎的報告。他擔心他將不得不出面講述一個無人可以重複的實驗。最終我輕易地解決了這個問題。」康特接著給菠娜講述了他是怎樣安排他們演講的順序和相應的演講話題的。

「他答應了嗎？」

「為什麼不呢？我的建議又有什麼不好？老實說，我讓他演講在先，講解更有意義的一部分：理論。為什麼他要拒絕這樣一個機會？」

「為什麼？」菠娜細聲地問道：「I.C.，他知道你為什麼給了他這樣的安排？」

如果康特留意到這突然的轉稱「I.C.，」他就不會再說下去了。「我想他是意識到了，至少我希望他如此。菠娜，為了能夠被理解，總有一些東西不應該說穿。」

第十七章

「我想爲人之母定有一些好處。比如說一位母親與一位長大成人的女兒之間的促膝談心之類。」菠娜·柯里正四肢舒展地橫躺在她客廳的沙發上，擺動著她的光腳丫子。

「除非她是一個母夜叉。」塞麗絲汀回答道。

「或者她不得不向她的女兒詢問一些字眼。到底什麼是母夜叉？」她的笑容流露出眞心的喜悅。

「因爲你不是我的媽媽，而是我喜愛的姨媽，所以我要你自己查查字典。當我問我的室友同樣的問題時，她也是這樣回答我的。不過你說得對，像我們這樣在一起眞好。我每週與媽媽通一次電話，就是不一樣。我眞希望她能在這兒，我們三人一塊兒閑聊。你邀請我來是爲了某個特殊原因呢，還是因爲想念我？」

「兩者皆是，塞麗。我必須坦白一些事。」

「哦，這我很喜歡。」塞麗邊說邊滑近她的姨媽，「坦白！」

「我想告訴你，我認識康特教授。那位與你的朋友傑利一道獲得諾貝爾獎的人。」

「就這個嗎？我還希望更有血有肉些呢。何況，我早就知道了，你在與他約會。」

菠娜坐了起來，「誰告訴你的？」

「沒有人。幾個月前在克蕾諾斯四重奏的演奏會上，我看見你與他在一起。」

「眞的？」菠娜說，「你爲什麼不過來打聲招呼？」

「不知道你是否會不自在。」

「爲什麼會不自在呢？我們是在演奏室內樂時認識的。他是位很不錯的中提琴手。」

「康特是一位中提琴手？」這次輪到塞麗絲汀吃驚了。「我想，傑利一定不知道這件事。菠娜，你還知道些什麼？」

「哦，也不多。除了你已訂婚了。」塞麗絲汀立即紅了臉。「天哪，塞麗，」她的姨媽叫了起來，「眞像是位維多利亞時代的女子！我那一向鎭定自若的侄女竟也會羞紅了臉。」他傾了傾身子去擁抱她。「你會邀請我去參加婚禮的，對不對？還是你們要私奔？我姐姐知道嗎？」

塞麗絲汀開始恢復了常態。「你怎麼知道這些事的？」她追問道。

「故事？難道不是眞的嗎？I.C.告訴我，你一找到工作，你們就結婚。他甚至告訴我，你將會去哈佛。難道不是嗎？」

「天哪！」她又臉紅了。但這次卻出於惱怒。「我沒有訂婚，也還沒有告訴媽媽，儘管她已知道我和傑利之間的事。而且我對工作的事也還沒有決定。我的確是得到哈佛大學提供的一個工作機會。」她語氣稍平靜地補充道。

「那麼I.C.全弄錯了?」

「哦，這不能怪他。我可以想像他為什麼會這麼推測。傑利在窘迫中將我介紹成了他的未婚妻——我不認為他能在第三者面前說出『情人』這兩個字來。」

「那麼你不認為傑利眞的有這個意思嗎?」

「我沒有這麼說。只是我們還沒有談到這個事上。目前他的腦袋裡裝滿了那個獎。你可以想像，剛從研究所畢業出來兩年就獲得了諾貝爾獎?我在想這會給他帶來些什麼。」

兩位女人相互對視了好一陣子。菠娜終於說了起來，「對呀，我也在想，對他和他的教授。」她沉思地打量了一下室內的裝潢，然後才抬起頭來。「I.C.跟我講了你們在他家裡的談話內容。對傑利來說，眞不容易呀。」

「康特告訴你這些?」塞麗絲汀迷然地看看她的姨媽。「你們兩人到底有多熟?」

「挺熟的，」菠娜回說著。臉頰上隱隱露出了一片紅暈。

塞麗絲汀細心地察看著她的姨媽，說道:「啊哈。」

「沒什麼。」菠娜打斷道:「我們只是好朋友而已。」

「是啊，是啊。」塞麗絲汀假笑道，「傑利也是這樣稱呼我的。」

「塞麗，夠了。」菠娜的口氣變得嚴肅起來。「我們有別的事要談。你願意接受我的邀請，與我一起去斯德哥爾摩參加諾貝爾獎的頒獎嗎?」

塞麗絲汀叫道：「菠娜！你一定在開玩笑。我怎麼能去？為什麼要去？」

「怎麼？因為我邀請你去。為什麼？因為你是傑利的朋友，或情人，或者也許是未婚妻。還有……」她遲疑了一下，「因為我需要一個伴。」

「怎麼樣？」斯達福站在小公寓中的廚房裡，正用圍裙擦乾他的雙手。他的公寓就在哈佛廣場邊上，圍裙是他的家庭實驗工作服，做菜時必穿。「你的演講如何？你拿定主意了嗎？」

「傑利，我餓死了。我一整天都沒吃東西。」塞麗絲汀將她的提包扔在冰箱前，立即開始搜尋冰箱裡的東西。她一邊大口大口地啃咬著冰冷的雞腿，一邊說道：「在午餐時我作了關於蟑螂激素的報告。教師和學生們在吃，我在講。」她一口氣喝下了許多牛奶。「報告之後，是一大堆的問題，尤其是關於我們在病毒方面的工作，我甚至在與系主任見面時還遲到了。晚餐吃什麼？」

「如果你還吃得下的話，晚餐會給你個驚喜，不過現在還沒有準備好。我明白為什麼家庭主婦總抱怨她們的丈夫們：他們希望無論何時回家，桌上已擺好了食物。趁你肚中的酶消化著那些雞肉，告訴我些化學系的事。他們都對你不友善吧？」

「還要加上兩位系主任。」她咧嘴一笑。「哈佛終於在考慮，但還不是那麼認眞。他們化學系至今仍沒有過一位拿到終生職位的女性。」

斯達福打開烤箱，一股誘人的香味衝了出來。沒多久，他就弄出熱氣騰騰的一個蒸鍋，並在桌上擺好加熱著。這桌子平時用來當書桌，因房子裡還得擺上一張沙發床，一把安樂椅和一個衣櫥。他清除了桌上所有的紙張，把它變成飯桌。爲了這頓晚餐，他還買了一些餐巾紙。

「啊喲！」塞麗感激地說道：「家庭男孩，我會原諒你未能在我打開房門時就已將食物擺在桌上的。」

「叫家庭未婚夫怎麼樣？」斯達福插嘴道。

「家庭男孩就可以了。」她立即回答道。

「那麼一位家庭男孩是否可以與家庭客人上床？」他滿臉通紅，但沒有移開視線。

「斯達福博士，這是什麼鬼話！一位諾貝爾獎獲得者加上一個基督教徒，竟使用這個字眼？去，去，去！」她咧嘴笑道。「這是不是過去五個月獨自一個人生活的結果？不過我的回答是可以。」

「馬上嗎？」他邊問邊用手去擁抱她。

「不！」她一把推開他。「只有在酒足飯飽以後。」

桌上有新的桌布，還有蠟燭。他做的是他以前從未做過的全套希臘菜，這令塞麗絲汀吃了一驚。他坦白除第一道的葡萄葉卷和結尾的淺蜜甜點是從店裡買的外，希臘式沙拉和希臘莫沙卡烤菜都是斯達福自己的傑作。「波士頓是品嚐希臘餐的一個好地方，」他自豪地指出，「好好品嚐這些黑橄欖，還有希臘白軟乾酪。塞麗，你會喜歡這裡的，波士頓是個居住的好地方。」

塞麗雙眼充滿好奇地看看他。「傑利，你做的這頓晚餐眞妙。是誰教你希臘烹調的？你說的話有點像商人。」

「你要不要接受他們提供的職位呢？」他詢問道。

「傑利，這樣吧。」她向前靠了靠，吻了一下他。「乾脆就告訴你吧，基本上已決定了拒絕他們，但是我還要與珍再商量一下。」她望著他茫然的神色笑了，「你剛到這裡才幾個月，就已成了個哈佛的人了。他們以爲這是登峰造極的地方，他們只需吹聲口哨，你就會乖乖地來。」

「但是，塞麗，這是哈佛——全國最好的地方。」

「對誰而言？噓……」她用手放在他的嘴唇上，以壓住他的感嘆。「我告訴你爲什麼吧。我今天幾乎見過了所有有機化學的超級明星，一個接著一個：岸教授（Kishi），施賴貝爾（Scheriber），科雷（Corey），伊凡斯（Evans），懷特塞德斯（Whitesides），有人提醒過我小心喬治·懷特塞德斯（George Whitesides），但他對我特別的好。他正從事許多關於酶的研究，很高興看到一位有機化學者對生物課題感興趣。但在我看來，很顯然，儘管他們對我的研究工作和其應用性都很感興趣，但如果我不是一位女性的話，他們決不會考慮我這樣一位還未博士畢業，沒有博士後經歷的人。」

「但是，塞麗，」斯達福打斷道，「那又怎麼樣？你明知你自己很優秀。爲什麼不就乾脆利用此一機會？況且，別的地方也未必更好。」

「我心裡明白。我寧願因爲是一個女人而得到工作，而不願因我不是男人而被拒之門外。」

「那麼，這又是怎麼回事呢？」

「與我是女人無關的一些東西。他們全都對我擺明，如果我從助理教授起步，意味著我沒有任何機會可以在他們的系裡拿到終生職位，除非我得了諾貝爾獎。」她立即又用手捂住了他的嘴巴。「傑利，其中有一個就是這樣對我說的。他甚至用你做爲一個例子。他們自豪地宣稱他們不從內部提升。就是說你應該爲能從哈佛起步而滿足，當你快到申請終生職位時，最好到別處找去。」

「那麼，這有什麼不好？」斯達福問道。

「有什麼不好？」塞麗回嘴道。

沒有一個化學系會事先告訴你將來你不夠格受重用的。我想你已被諾貝爾獎沖昏了頭。在哈佛大學一定有些很不錯的人也被這樣對待過。譬如說吉爾伯特・斯脫克（Gilbert Stork）。他是世界上最好的有機化學家之一，可以與現在任何的哈佛人比美，可他也不得不跑到哥倫比亞去拿終生職位。還有威爾肯森（Wilkinson），他因在哈佛做助教時做的研究工作而獲得諾貝爾獎，同樣的，他還是被他們踢出去，回到英國後才得到終生職。」她停頓了好一陣，才稍平靜地接著說：「我是從珍那兒得知這些的。她提醒過我這裡的情形。你猜猜她告訴過我什麼？」

斯達福搖搖頭。

「她說：『如果你從頂峰起步，就無處可去，唯有下坡。』她舉了好些例子說明怎樣在一個等級較低的大學裡做一些重要的研究工作，實際上會更引人注意。別的研究單位會怎樣追踪你，因爲從一個不起眼的地方發表一篇傑出的文章，回響更大。比如說懷恩（Wayne）州立大學——算不上是個一流大學，而這正是你們這些諾貝爾獎得主之一，布朗（H. C. Brown），開始他的學術生涯的地方。還有另一個人，他叫什麼來著，現在在史丹福。」她皺了皺眉，「你一定聽說過他，他發表的文章多得要命。算了，他也是從韋恩大學起步的。據珍說，最主要的因素是一個好的客觀條件和合作環境，教書分量不重，手下也要有合理的研究生——」

「合理？」斯達福問道：「你指的是好的研究生吧？」

「我指的是合理。也就是說不要由一、兩位重要的教授占有所有的新研究生。你最多只有六年的時間來努力爭取，要不就取不到終生職位。你總不能一個人做。」

「那麼你打算怎麼辦？」

「我已去過一趟威斯康辛大學。那學校不錯，很大一個系。如果我做得不錯的話，可以升到終生職位，而不會像哈佛大學，讓我打包回家去。還有一個好處是他們有一個很好的農學院。如果我要接著從事昆蟲研究，旁邊有個很好的昆蟲系，是很有利的。」

「這麼說，你是去麥迪遜（Madison）分校？」

「我還沒有決定。也許會是康乃爾（Cornell）大學。這個地方對我來說也很不錯——他們有艾斯納（Eisner），邁因瓦（Meinwald），和羅爾羅夫（Roelof）等等：都是在昆蟲領域頂尖人物。還有加州理工學院（Cal Tech），珍告訴我，他們正在擴建化學系，貝克曼（Beckman）給了他們一大筆錢。」

「你確實摸得清清楚楚。」斯達福不無羨慕道：「在你這個年齡，沒有幾位像你這樣的研究生——」

「看看，這是誰在講話，傑利米亞·斯達福博士，到了老氣橫秋的二十八歲才獲得諾貝爾獎！」她伸手到小餐桌另一頭，捏了一把他的臉頰。「來吧，現在我酒足飯飽了。」

對於康特而言，諾貝爾獎慶祝活動裡最重要的部分，莫過於他與斯達福將一起作的科學演講了。報紙雜誌文章，電視和電台報導，甚至頒獎典禮本身都是短暫的，他對此毫無直接的控制力。而演講報告是要載入史冊的：演講內容將被刊登在每年由諾貝爾獎基金會出版的諾貝爾得獎者（Les Prix Nobel）傳上。尤其是斯達福會演講在先，他不願冒任何風險。因此，他決定更加小心仔細地準備斯達福和他自己的講稿。他不僅擔心書面的內容，也爲演講擔心。在感恩節的前一星期，康特給在波士頓的斯達福打了電話。

「傑利，我一直在考慮我們飛往瑞典的行程。首先，我想我們應該一起到達。從一開始就會有很多的新聞報導，而第一印象又是非常重要的。」在沒有聽到斯達福有任何表示後，他接著說：「我將經紐約起飛，這樣我們可以在甘迺迪機場會合。然後我們一起從那裡搭SAS的航班到達斯德哥爾摩，只需在哥本哈根停留一下。我們得在星期五到達，因爲授獎儀式在星期天舉行。這樣我們有充足的時間來適應時差。現在的問題是：誰和你一道去？」

斯達福問道：「你的意思是？」

「瑞典方面一定問過你，該在酒店爲你預訂多少房間。你的父母會去嗎？」

「很不巧，他們不能去。」

「那麼你的未婚妻呢？」

「我問過她，但她說她正忙於畢業論文的最後一個實驗，所以也不能去。」

康特聽起來十分吃驚，「她不該拒絕的，實驗總可以延遲的嘛！」

斯達福聲音空洞地說，「哎。」

康特毫無領會，「她淸楚她將錯過什麼嗎？她只怕不可能在近期內再被邀請去參加另一個諾貝爾獎的典禮。」

斯達福回答說：「我跟她也是這樣說的，但她說只怕要等到她自己得到這個獎的時候。」

康特嘆了一口氣，「那麼我們都只好獨自去了。沒關係，在那裡我們會有人陪伴的。

哦，順便提一下，不知你注意到沒有，我們的報告被安排在星期一。」

斯達福插嘴道：「是的。近幾週來我一直在準備。」

康特很懊惱。「是眞的嗎?事實上，我已爲你準備了一分講稿。」

「你爲我準備了一分?」聽得出來斯達福有點生氣。「爲什麼?」

「爲什麼這麼問?」康特開始結巴起來。「我以爲——」

「I.C.，我當然應該寫我自己的諾貝爾獎報告。」他打斷道，「難道你不同意嗎?」他的聲音已變得冷若冰霜。

康特不知怎麼辦才好，喃喃道：「我還是將我準備的講稿寄給你，」他讓步了。「你也許發現它用得上的。」

菠娜·柯里那細心愛打聽的天性得到了代價。她沒費多少周折，就打聽到這兩位男人們的行程和住址。康特可是很自豪地向她出示由諾貝爾獎基金會寄來的：「諾貝爾週備忘錄。」她可眞被題爲「酒店住宿」那段說明的那種精確，學究式的風格逗樂了：

諾貝爾獎基金會將在大酒店預訂房間。基金會為得獎者及其配偶和未成年子女（二十一歲以下）免費提供住房和早餐。歡迎陪同獲獎者的成人家庭成員或職業助手，付費住宿。原則上，客人數目不超過六人。如果及時申請，用房將由基金會預訂，請在有關問題處標明你的需要。

在諾貝爾發獎儀式那週，要旅行社在大酒店訂個房間是不可能的，但對菠娜來說卻不是難事。她給斯德哥爾摩的管理人員打了電話，並指出她們是兩位諾貝爾獎得主的好友，而這兩位獲獎者都是隻身前往的。「給我們倆一個雙人房間就行了。」她強調道，「不過請務必保守秘密。我們要給他們一個驚喜。」她在冰島航空公司買了兩張經雷克霍雅末克的便宜機票。「男人們將穿燕尾服，那麼我們將要穿晚禮服。別忘了你要帶著護照。」她提醒塞麗絲汀說，「還有，帶上你的皮毛大衣。」

「我的皮毛大衣？」她的侄女尖叫了一聲，「你一定是在開玩笑。你以爲現在的研究生們還穿這個？」

「那麼，我在芝加哥爲你租一件，我的侄女不可能穿著夜禮服配上波克大衣去諾貝爾舞會。」

第十八章

康特從他的諾貝爾獎得主的朋友們那兒得知與授獎儀式有關的一切，從在阿蘭達飛機場的迎接招待會開始，都將是很堂皇華麗的。他打算派頭十足地駕到，那麼預訂的飛機的座位也就得是頭等艙，相反的，斯達福除經濟艙以外，從未坐過其他等級的座位，這次他的首次歐洲之遊也不例外。其結果是，這兩個人在甘廼迪機場同時登機，但立即又分開了。坐在前頭上等艙的康特，他的座位實際上就像一架遊覽馬車，當他想離開他的座位時，就像到貧民窟去遊玩一樣隨意、自由。而斯達福只能坐在經濟艙裡。康特第一次想去看他時，狹窄的過道上被服務車堵住了。第二次，斯達福則睡得正香，被夾在兩個金髮的胖商人之間。康特一直很想與他討論一下最後幾點關於到達後的新聞發布會的事項，但他只能等到飛機在哥本哈根作短暫停留時再說。結果卻出乎他的意料。

剛從紐約起飛不久，駕駛員就通知說，與往常不同，這次將不在哥本哈根市更換飛機。而只在那兒停留加油之後就接著直飛斯德哥爾摩。康特低估了飛機上的那六道菜。兩杯酒和一杯葡萄牙紅酒的催眠效果。飛機在哥本哈根停留時，他已熟睡過去，渾然不知一切。而斯達福則十分清醒，正優閒地瀏覽凱斯楚普飛機場的免稅商店。

斯達福沒有聽見他的班機起飛的第一次廣播。在聽到第二次廣播後他立即向機門走去。突然，他停住了，臉上露出一絲暗笑，竟轉了回去。當廣播裡傳來飛機起飛的最後一次通知時，他正坐在咖啡室裡，還沒用完他有生以來的第一道斯堪第納維亞早餐呢——美味的糕點，和加有道地奶油的咖啡。他優閒地慢步走向中轉台，滿不在乎地等著，儘管有一位土耳其乘客花了十分鐘，才辦完所有的手續。終於，那位年輕的櫃枱小姐向他轉過頭來。她沒好氣地問道：「什麼事？」似乎所有的耐心都被那位土耳其人磨掉了。

聽到他說誤了去斯德哥爾摩的飛機後，她兩眼翻向天花板，大聲地嘆了一口氣說：「我看看下班機還有沒有空位。我眞懷疑是否會有，」並警告地說：「通常週日早晨飛往斯德哥爾摩的飛機都是客滿的，恐怕你只能候補。你幹嘛不好好的待在飛機上？」

斯達福聳了聳肩，臉上露出得意的神色。「我不在乎等一等。看看你能給我弄到什麼。我的名字叫斯達福。」

這位服務員接過他的機票，輸入到電腦中。突然她的表情驟變了。她一下拿起電話，用丹麥語急速地講著，同時雙眼好奇地打量著他。講完話，她從座位上站了起來。「先生，很抱歉，」這位年輕小姐說道，「讓我陪你到貴賓室休息。」走在長長的通道上，她緊張地笑著。「你是我遇到過的第一位諾貝爾獎獲得者。竟這樣年輕！」她親暱地說。

一旦安全帶可以鬆開，康特就走到後艙去找斯達福。他的座位是空著的。康特坐了下來等著；斯達福只可能去了洗手間。十分鐘後，康特往洗手間那頭走去。又過了十分鐘，他見到兩個門打開，裡頭的人出來了。竟沒有斯達福。

他叫住一個過路的空姐：「小姐，我在找一位坐在那個座位上的乘客。你知道他去那裡了？」

她回道：「那裡沒有人。」

「我知道，」他咆哮了起來，接著止住自己，「所以我才問你。」

SAS的空姐們都受過禮貌訓練，這位小姐也一樣。「先生，對不起。我是說，我們起飛後，這個座位就沒有人坐。」

他氣急敗壞地叫著，「絕不可能，這個乘客從紐約起飛就坐在那裡。是個年輕人，鬍子刮得乾乾淨淨的，棕色頭髮。你肯定見過他。」

「對不起，先生，」她仍舊耐心地回答道，「我是從哥本哈根才開始服務的。」

「可他一定就在這裡，」他固執地說著，聲音因絕望而提高了，「他能到那裡去呢？」

「他可能留在哥本哈根。我去叫機艙長來好嗎？」這位空姐建議道。

儘管機艙長瞭解康特的身分，但也幫不了他。「教授，請不要擔心。再過二十分鐘我們就可到達斯德哥爾摩。我相信地面工作人員會有您同事的消息的。」他不無尊敬地看了一眼康特。「SAS從未丟失過一位諾貝爾獎得主。」

康特悶悶不樂地望著窗外。這是斯堪第納維亞特有的一個短暫的冬日，時值十二月分，白雪剛剛覆蓋在大地上，斯德哥爾摩群島就在前方。一個愉快的聲音把他驚醒了。「教授，請不要著急。機長剛剛與哥本哈根通了電話，斯達福博士將乘下班機飛往斯德哥爾摩。他肯定是誤了本班機了。」

康特悻悻道：「他怎麼會這樣呢？」

乘客們站成一行，都急著出去。他們很羨慕地看著康特第一個下飛機。他剛邁出狹窄的旋梯時，一下子被直刺他雙眼的燈光弄得看不見。等待著他的，是《瑞典日報》的攝影拉斯（Lars Sjostrand）。拉斯自稱是攝影記者，而不是一名固定職業的攝影師。他認爲一名新聞攝影師的作用應是挖掘其攝影對象表面之下的內涵實質。他是《瑞典日報》的攝影記者中唯一使用600mm變焦鏡頭的尼康自動照相機，一個特製的皮盒子，加上那有力的左手用做三角架。他有以攝影對象的鼻子來聚焦的習慣：如果他能數清從鼻孔中微露出的鼻毛，他也就捕捉住他的獵物的每個細微的表情，每一滴汗，這些是一個普通鏡頭所做不到的。他的攝影火箭筒直瞄住乘客們就將蜂擁而出的那個過道的大門。路德荷門，《瑞典日報》的記者，正站在他的身邊。「拉斯，」路德荷門提醒他的同伴說，「我要一張他張嘴的照片。這個傢伙太傲慢了。將他照蠢一點。」

第二天照片刊登出來時，康特的嘴大張著。看起來確實顯得傻乎乎的。當拉斯正發射照相的火箭筒時，康特正好看到了菠娜·柯里：高高的個兒，金黃色的頭髮，身著毛皮大衣和相配的皮靴——她的雙眼帶有一絲頑皮的眼神。接著的幾張照片中，也就是路德荷門反對刊登的那幾張，康特張大的嘴巴已變爲高興之極的表情。菠娜·柯里擁抱教授的那張照片最終也被扔在了剪輯室的地板上，因它與頭髮微蓬的斯達福親吻塞麗絲汀的那張照片，差別不大。

路德荷門爲其能敏銳地獲得後面這張照片而十分得意。各家電台電視及當地的競爭對手——《今日消息》（Dagens Nyheter），《晚報》（Aftonbladet）和《快報》（Expressen）都只安排一組人員來接康特和斯達福的機。當官方的歡迎隊伍，包括來自瑞典外交部的一位代表，美國文化大使，卡羅尼斯加研究院的院長，以及兩名瑞典教授，衆星捧月般地擁著康特教授到由 SAS 提供的特殊招待會的地點時，所有的記者都蜂擁跟隨而去。只有路德荷門拉住了他的攝影夥伴。他推測康特的採訪不會有多少新奇的東西。他已積累了足夠多有關康特的材料，《美國名人錄》和其他一些參考文獻上都列有一些材料。他甚至還讓在華盛頓的記者爲他挖掘出一些剪報。眞正激起他的興趣的是那位年輕的共同得獎者，傑利米亞·斯達福。諾貝爾獎基金會提供的有關斯達福的資料非常簡略，幾乎沒有用：只有出生年月，地點，受過的教育和四篇發表過的文章的題目，除一篇之外，其他三篇都有康特的署名。路德荷門熟知瑞典人的讀報興趣，報導歷史上第二年輕的諾貝爾獎得主的有趣故事，他認爲更有看頭。

五十分鐘後，來自哥本哈根的班機到達時，只有路德荷門，拉斯，瑞典外交部官員和一個年輕漂亮的美國姑娘在那兒迎接斯達福。那位官員正與美國姑娘交談練習美國口語。她身穿黑色羽絨大衣，腳著滑雪的靴子，沒有帶帽。頭髮淡褐色，出奇地短。很興奮的樣子。

拉斯最後看了一眼由諾貝爾獎基金會發出的新聞小報裡斯達福的頭相，幾個頭部特寫。他舉起他的火箭筒擺開了架式。然而，與康特精心安排的駕到相反，斯達福非常隨便。他坐在擁擠的後艙，幾乎是最後一個才慢吞吞出機。一手拿著帶風雪帽的皮茄克，另一手提著背包並拿著一本書。突然他停住了，停得如此匆促，以至於跟在他後面的乘客撞著了他，拉斯的前兩張照片也因此報廢了。然而第三張照片眞給《瑞典日報》的頭版添了光彩。照片中斯達福的航空包和書扔在地板上，他在親吻著塞麗絲汀。他雙手緊摟著她的腰，而她雙手則緊抱著他的脖子。路德荷門彎腰揀起了那本書，書名讓他吃驚：《艾略特詩集》。

「塞麗，親愛的。」路德荷門聽到，這對年輕人停止親吻後，斯達福興奮得大叫了一聲，然後是兩人親膩的笑聲。「我眞不敢相信！你是怎麼到這裡來的？爲什麼用你那極重要的實驗把我蒙住了？」他正要親吻她時，卻聽到了一聲咳嗽。這是由外交官發出的，路德荷門則立即順竿而上，把它轉換爲自己的開場白。

「斯達福博士，歡迎你到斯德哥爾摩來。」他以最好客的姿態說著：「我是《瑞典日報》的記者，讓我幫你提著這個吧？」他拿著從地上撿起的斯達福的袋子和艾略特詩集。「我可以在這位先生領你去記者招待會之前問你一些問題嗎？」他用手示意了一下至今仍沒有機會接近斯達福的外交官員。

「當然可以，」斯達福隨和地答道，左手仍挽著塞麗絲汀的腰。「請吧。」

「這是你第一次來此地嗎？」

「沒錯！也是我第一次到歐洲。你呢？」他問塞麗。

她答道：「我也是第一次來斯堪地納維亞，我以前隨家裡人來過幾次歐洲。」

「你對所有的慶祝活動都有了準備嗎？準備好會見我們的國王了嗎？」路德荷門在提及國王時不知不覺地直了直身子。

「我說不準是否已準備好。但我很希望見到他。」

「你知道他的名字嗎？」記者問道，露出狡猾的眼光。

「對不起，我不知道，」斯達福坦承道，「我也不需要知道，不是嗎？」他問道：「稱國王和王后為『陛下』不就行了嗎？」

「傑利，她的名字叫絲維亞・雷娜娣（Silvia Renate）。」塞麗絲汀插話道，希望能夠分擔一點斯達福的難堪。

「你怎麼知道的？」斯達福叫了起來。

「我已到了一天。猜猜看和誰一起來的？」

「利亞？」他問道。

「不是，」她答道：「她能來的話一定很好玩。想像一位貝克丁的崇拜者參加諾貝爾獎的慶祝儀式會是怎麼樣的。再猜猜。」

「我認輸了。到底是誰？」

「我姨媽，菠娜·柯里。」

「別開玩笑。爲什麼是她？」

「待會你會明白的。」她移開些讓路德荷門靠近。「我想這位先生想問問你一些其他的問題。」

「對極了，」路德荷門說，「譬如說，這位年輕女士是誰？」

「她是我的——」斯達福正要說出，但塞麗絲汀插了進來。

「我叫塞麗絲汀·布勒斯。我們是朋友。來自同一所大學。」她僵硬地補充道。

「噢，」路德荷門邊說邊在筆記本上寫著，「布勒斯怎麼樣寫的？是與諾貝爾獎的獎字相同嗎？」

「不是，」塞麗笑了起來，「裡面是個C，像價値昂貴的『價值』。」「或者說像『無價之寶』，」斯達福補充說，「她確是如此。」

「噢，」路德荷門第二次「噢」了起來，快速地記錄著。

「還有這本書呢？你剛剛來時掉在地上，」他把那薄薄的詩集遞給斯達福。「這是否也是你爲這次慶祝活動所做的準備的一部分？」

「不知道。」斯達福裝作不在乎的說，但他臉上的紅暈洩露了他的秘密。

「傑利，你在讀什麼？」塞麗絲汀追問道。伸手拿過書。「T·S·艾略特！」

路德荷門寫下作者的名字，認爲該話題已結束了。「斯達福博士，」他喊了一聲，將斯達福的注意力從塞麗絲汀身上拉了過來。「你認爲與康特教授一起贏得這諾貝爾獎是理所當然嗎？」

塞麗絲汀再一次爲他解了圍。「不要回答！傑利，」她轉向記者說：「你知道嗎，這不是很好的問題。」

「我只對斯達福博士的看法感興趣。」

「哦，你不是想讓傑利對諾貝爾獎委員會執不同的看法吧，對不對？那不太有禮貌。」路德荷門微微地點了點頭。「布勒斯小姐，我現在明白：爲什麼你是無價之寶了。最後一個問題，斯達福博士，你決定了怎麼去用你的諾貝爾獎獎金？數目不少，尤其是對一位像你這麼年輕的科學家來說。」

「我也在想這個問題，」塞麗絲汀笑道。「你打算怎麼處置這筆錢？」

「我已想過這個問題，」他乾巴巴地對她說，「我會在離開斯德哥爾摩之前告訴你。」然後他轉向記者。「雖然我的這位無價之寶的朋友已說過了，但我仍然想回答你的上一個問題，然後，我們必須走了，我看得出這位先生有些不耐煩了。」他向那位外交部的官員笑了笑，他一直靜靜地傾聽他們之間的交談。「你問我是否該分享這諾貝爾獎。塞麗絲汀完全正確，你應該問諾貝爾委員會去。很顯然，他們認爲腦瘤學理論夠得上諾貝爾獎的資格，最先的構想是康特教授提出的，但如果他們只因此而授予諾貝爾獎的話，冒的風險就太大了。你知道嗎，在一九二六年約能·費比格（Johannes Fibiger）因提出惡性腦瘤由寄生蟲引起的假設而獲得了諾貝爾獎？結果他是錯誤的，而自那以後的整整四十年，癌症領域的研究工作就再沒有被授予過諾貝爾獎。」

路德荷門拚命地記著；塞麗絲汀則帶著明顯的驚訝看著斯達福，「你從那裡得知這些的？」她對他耳語道。

「克羅斯教授告訴我的。」他低聲說道，「他對癌症和諾貝爾獎的事無所不知。」斯達福又轉向路德荷門，「我再回到你剛才問的那個問題上。一個假設就像是一個睡美人，需要一個王子去喚醒她。對於這一個睡美人，那王子就是實驗驗證。我提供了第一個實驗驗證，從某種意義上講是我給她帶來生命。」

「那麼你就是這個王子！」路德荷門雙眼充滿了喜悅，「眞是妙極了：王子與其無價之寶的朋友駕到斯德哥爾摩──」

「慢著，」斯達福笑了起來。「布勒斯小姐是無價之寶，但我沒說我是王子。我只是說明爲什麼我是那篇文章的合作者。這也就是爲什麼──」

塞麗絲汀滿臉不安地打斷道：「傑利，我不會──」

「啊哈，」路德荷門打斷道。他正聽到他想聽到的東西，決不會就這樣放過它。「康特教授找上你讓你提供實驗驗證嗎？」

「對。」

「是因爲你是唯一能夠做這個的人嗎?在二十八歲這個年齡。」他抬了抬眉毛。

「當然不是。」斯達福贊同地搖了搖頭。「如果我是唯一能夠做出這個實驗的人，那也就沒有什麼實際意義了。」他爲他的用詞感到得意高興，儘管心裡覺得他在那裡聽到過這個詞。「任何一個實驗，只有能被其他人重複出來才有意義。至少需要有兩位王子來將假設變爲事實。所以我就不能說是唯一能夠做出該實驗的人。」

「我明白了，」路德荷門咕噥道，筆頭飛轉，「那麼是誰重複了你的實驗呢？」他問道，頭都沒抬離筆記本。「誰是另一個王子？」

「我們眞的得去和康特教授會合了。」他答道，拉起塞麗絲汀的手。「我猜他一定好奇我在哥本哈根遇到什麼事了？」

他們跟著那位瑞典人走在通道上，塞麗絲汀急促地輕聲說道：「傑利，你是不是瘋了？」

「放輕鬆，」他也耳語道：「我知道自己在做什麼。」他捏她的手，「這就是我在哥本哈根沒搭上飛機的原因。」

「哎呀，哎呀，迷途的羔羊。」康特大聲說著，握了握斯達福的手。「讓我先將你介紹給我們的瑞典主人們。然後把你介紹給所有的這些記者們。」他用手臂朝那些話筒、照相機和記者們揮了揮。一一地正式握手和拍照之後，康特用手指了指坐在沙發上觀察著這一切的菠娜·柯里，「這位是——」

「噢，柯里女士！」斯達福叫了起來，上前幾步與她打招呼。「塞麗的神秘伴侶：是什麼風將你颳到這裡來的？」

「菠娜，你們認識？」背後傳來康特不解的聲音，「你們在那裡見過？」

她聳了聳肩若無其事地答道：「哦，是在芝加哥，我的侄女帶他見我的。你們兩位一定疲勞不堪了。快結束你們的新聞招待會，我們好回旅館去。」

「你說得對，」康特回答著，話音中的猜疑並沒有消失。「傑利，我們在等你的時候，我已與所有人談過。」他轉過身，大聲地說：「先生們，我相信——」立即止住自己：「還有女士，」他對人群中的唯一一位女記者彎了彎腰，不無抱歉地笑了笑。「這是我的同事斯達福博士，他在哥本哈根被延誤了。我相信我已以我們兩人的名義回答了你們所有的問題。我想我們該回旅館小憩了。」

「對不起，教授。」路德荷門喊了起來，「你回答問題時，我不在場。我只有一個問題，剛剛也問過斯達福博士，」這位記者的臉上露出貪婪的神色，「除非你已向我的同事們回答過了。」

「請說吧，」康特說著，臉上掠過一絲懷疑。

「我想問的是為什麼你這位年僅二十八歲的合作者能與您分享諾貝爾獎。他具體的貢獻是什麼？」

好幾個原先無精打采地懸在記者們手上的麥克風，突然都被舉了起來，一齊伸向康特。鉛筆都已停在筆記本上。康特轉向傑利，「你是怎麼說的？」

斯達福正要回答，路德荷門舉手制止了他，「康特教授，我對你的回答很感興趣。斯達福博士的回答我已有了。」他亮了亮他的筆記本。

「等一下。」康特生氣地說，停頓了一下，掙扎著想改變他的口吻，「我們是合作者，自始至終貫穿整個課題。這就是爲什麼斯達福博士與我一起發表這個工作的結果。這就是爲什麼我們分享這諾貝爾獎。」

「教授，我們都知道這些。」路德荷門顯出很大的耐心，「這是諾貝爾獎發佈的新聞稿所說的。我對你提的問題是關於他的特殊貢獻，他的……」

康特極力克制自己。「眞正的合作者不分功勞。我們是全課題的合作者。」若是在數週以前，康特一定會對這位記者的無禮怒氣沖沖，如今，在諾貝爾獎的光環之中，他的怒氣還只在醞釀之中。「我可以向你提個建議，來參加星期一的科學報告會嗎？我想在那裡你會找到所有問題的答案的。」

「謝謝你的建議，教授，」路德荷門圓滑地回答，「我一定去的。」

第十九章

在酒店三樓一角的套房裡，一疊裝在紅皮夾裡的信函正在等著斯達福。他以前從未收到過那麼多的邀請。其中有在星期六與馬格尼費遜的校長和幾位很出名的卡羅尼斯加教授在大酒店共進晚餐；星期一由國王和王后爲諾貝爾獎得主及其家人在皇宮舊宮舉行的晚宴（斯達福從他的窗口可以看到皇宮的燈光）；星期二與美國大使在其諾貝岡塔的住宅一起吃中飯；星期三則是由斯德哥爾摩醫學學生聯誼會負責人舉辦的宴會。除了個別幾個中餐外，斯達福在接下來的五天內，只怕很難脫下他租來的那身燕尾服。這身燕尾服早在他到達之前就已在他房間裡等候他了。剛燙好，就掛在衣櫥裡。他事先已把他的尺寸塡入到細心周到的瑞典人送來的表格裡：腰身、褲襠至右腳的距離；褲襠到左腳的距離；胸圍、肩寬、左臂和右臂。

那堆信函裡有兩封是比較厚的。其中一個是關於星期天下午在市政大樓音樂廳舉辦的諾貝爾頒獎儀式的預演。算不上是封邀請信，而應該說是行程表，是張安排詳盡的時間表，只差上廁所的時間沒有提及。信封上附有一張小條，提示留意上午十一時的衣著試穿，提供所有的去向安排。另一個大信封裡裝的是星期天在市政廳舉行的正式宴會的邀請信。當斯達福驚訝地看著客人的名單，名字和頭銜竟多達一千三百一十八人，分坐在六十六個桌子上，每個人的座位都已準確地列在另一張表格裡，他開始目眩起來，想像不出該晚會將有怎麼樣的規模和場合。

電話將他吵醒了。房間裡黑黑的，好像是在半夜。好一陣後斯達福才清醒過來，「傑利，吵醒你了嗎？」他聽出是塞麗絲汀的聲音。

「現在是幾點？」他一邊問著，一邊摸索著找桌頭燈的開關。

「快四點了。」

「幹嘛清晨四點將我吵醒？」他嘀咕道。

「傻瓜，」她興高采烈地說：「是下午四點，不是淸晨。我們在北方，現在是十二月中旬。我們去散步吧——就我們兩人，在記者們趕上斯達福王子之前。」

「你想到那裡去？」

「我們穿過橋到老城去，穿上你帶來的所有衣服，外面冷極了。這樣你的頭腦更清醒些，王子。」

塞麗絲汀敲他門時，斯達福已快穿好了衣服。她的臉上洋溢著熱情和歡喜。

「塞麗，有你在這裡的感覺眞好。僅在幾小時之前，我還以為我會獨自一人度過這些日子。」

「傑利，爲什麼你的父母沒來？」

斯達福聽到這句話顯得有點沮喪，「I.C.也問過，我只推說他們不能來。你不知道，我父親認爲：《聖經》是眞理的再生；達爾文（Darwin）進化論是褻瀆。也許我該像你一樣從事化學，這樣就可以避免進化論之說。可從事生物學是怎麼樣的呢？自從我在大學本科學習時，我就保持緘默。進研究所後就更糟了，我父親對神造論的反覆嘮叨，在我們兩人之間造成了一條很深的鴻溝。如果你以爲諾貝爾獎可以緩和我們之間的關係的話，那你就大錯特錯了。」

「噢，傑利，我很抱歉。」

「我也很感遺憾。這個獎只會加深我父親的不悅。當我邀請父母來參加，並說一切費用由我負擔時，我父親一下就拒絕了。在他看來，我是被另一個邪魔所誘惑了。他對他的兒子，這位諾貝爾獎獲得者能說的就這麼一句：『驕傲之後，就是墮落。』既然我已經墮落了，那麼我們就去玩玩吧。」

菠娜·柯里和塞麗絲汀·布勒斯作爲兩位得獎者的非正式同伴的消息被主辦單位獲悉時已太晚了，她們的名字已不可能加在打印好的邀請信上。另一個原因也可能是因爲她們的正式身分未被證實。使用含糊的「朋友」二字並沒能把事情簡單化，但瑞典的主人們還是積極地應變著。二張授獎儀式的門票，被送到了房間裡——按常規在這麼遲的時候還能得到門票是絕對不可能的。她們的座位是中間第五行，就在瑞典閣員和外交官員們後面。

安排她們參加諾貝爾獎宴會就沒那麼容易：標有座位安排的單子早在好幾天前就寄出了。按隨信附有的圖表，皇家成員，諾貝爾獎獲獎者及家人，還有其他一些最重要的政府官員和學術官員，總共八十六名，全都安排在巨大的主席台上。餘下的分爲兩組。其中七百二十名客人，包括外交官，使者，司儀和教授們，被安排在與主席台相垂直的二十四長桌上。另五百十二較不重要的客人，包括記者、特邀學生，和候補的客人們，如幾位有外國的教授都被安排在外圍四十一個小圓桌上。客人們的重要性及身分都被淸楚地由他們的座位距離主席台，及由皇家成員組成中心的距離爲準，要因爲塞麗絲汀或菠娜的緣故而將任何其他人換掉，都是不可行的。

從到達機場，到十二月十四日即露琪亞日（Luciadag）慶祝活動後的第二天，都安排有專人護送諾貝爾獲獎者。在露琪亞節慶祝活動的那一天，淸晨七點諾貝爾獎得主們被八個穿著白袍唱著聖塔露琪亞歌（Santa Lucia）的年輕姑娘們叫醒並由她們侍候在床上用早餐。（這些全被一位偷偷闖入的電視台記者錄了下來）護送員們負責處理所有的後勤細節，並就有關的規矩及禮節問題提供建議。康特和斯達福的護衛都被賦予了照顧那兩位「朋友」的額外任務，還得向她倆解釋淸楚爲什麼她們被安排坐在桌尾。「還好，二十五號桌子排在正中間，」其中一位不無安慰地說，並遞給一副看歌劇的折疊眼鏡以示補償，「而且你們與國王和王后吃的是同樣的食物。我來告訴你們一個秘密吧，」他神秘地向前靠了靠，「這本該保密的主餐是：澆有法國蘋果白蘭地的奶油加瑞典野兔肋骨肉和蘋果環。這是當地的佳肴。」

「如果這是個秘密，那你又怎麼會知道呢？」菠娜問道。

「不要告訴別人。」他回答著，左食指放在嘴唇上，「我認識負責整個諾貝爾晚宴餐館的廚師。」

這兩位「朋友」在星期天所受到的唯一特殊待遇便是他們可以與得主同乘大型的林肯豪華轎車去音樂廳參加頒獎典禮和一起去參加晚宴。這也是他們到晚上十二點前唯一可以獨自相處的時間。在從旅館到音樂廳的途中，他們沒有談什麼，因爲當時斯達福太緊張了，僅僅在塞麗絲汀安慰地捏捏他帶著手套的手掌時才微微笑了一下。然而他們第二次獨自在一起時，也就是當他們從音樂廳到市政廳（Stadshuset）的路上，斯達福這位剛剛被戴冠的諾貝爾獎得主就非常輕鬆自在了。塞麗絲汀也興致勃勃的。斯德哥爾摩那棕紅色的市政廳帶有義大利式的高塔和綠銅色的屋頂，十分漂亮。

「傑利，」車門剛剛被關上後，她就叫了起來。「在喇叭響起你們向前邁進的時候，我全身都起了雞皮疙瘩。你穿著燕尾服看起來很英俊，甚至比在前面領隊的學生還年輕！」她靠了過去，在他的臉頰上吻了一下。「我們回家後，你得爲自己買幾件燕尾服。我喜歡與這種打扮的你一起出去。」

「一言爲定，」斯達福贊成道：「你也得穿的與現在一樣。我不知道你有這樣的衣服。」他向後靠了靠，眉目傳情。

「我自己也不知道。這是菠娜的禮物。她爲我這次旅行破費了。」塞麗絲汀打開皮大衣，伸展著雙腿。「售貨員說我的身材正合適穿這衣服。」塞麗絲汀繼續說著，黑暗的車廂裡她的聲音十分柔和。「我永遠不會忘記，當他們叫到你的名字時，喇叭響起來。當你向國王走去，大家都起立了。」她轉過臉，對他笑了笑，「他對你說了什麼？」

「這可是最高機密，也許有一天我會告訴你。」

「今晚可以嗎？」她忸怩地問。

「也許吧，」他以同樣的口吻回答道。

「傑利，你從那裡學來倒著走？」她問道。「只有你這麼做，是因爲你不想背對著國王和王后嗎？」

「對，」他眉開眼笑道：「這是我的護衛在衣著排練時向我建議的。他說『向後退著走，在向他鞠躬之前雙眼要正視皇族。這樣瑞典的觀衆會很高興的』。我想大概我是唯一這樣做的人吧。他答應給我授獎儀式的錄影帶。」

這時他們兩人的私人談話被護衛打斷了。「布勒斯小姐，我們就要到達市政廳了。我先將斯達福博士送到他的座位，他將坐在王后和國會議長即發言代理人的妻子之間，然後我會將你領到藍廳，其實它不是藍色，是白色的。你是坐在第二十五號桌的遠端，與康特教授的朋友面對著。在桌上你會看到寫有你的名字的紙卡；你的編號是八〇六。」

在下午的授獎儀式中，在盛大的儀式和喇叭演奏聲中，在演講報告和音樂的和聲裡，深深地留在塞麗絲汀的腦海裡的是這樣一幕：她的情人堅定地後退著走時，他臉上那安詳的表情。他手握著裝著獎牌的紅盒子和紅色的皮夾子。這種安詳鎮靜與她原先想像的驕傲和激動大不一樣。

在晚宴期間，由於斯達福與她相離幾百尺之遙，她便將注意力集中在整個場合上：戴有白色手套，身著制服的男女服務員們排列整齊，在一些得獎者做簡短演講時準確無誤地服務各道菜肴。康特也做了演講，他的講話安排，在上第一道菜之後。菠娜說：「I.C.眞幸運，現在他可以輕鬆地享受佳肴了。」

康特的演講準確而高雅：「……『唯一你所知道的是你所不知道的／你擁有的正是你所不擁有的。』」他繞著口令，「這是獲得諾貝爾文學獎的偉大詩人所寫的。」這位詩人會是誰呢？塞麗絲汀心裡想著，看到一些腦袋碰在一起，她的鄰坐們在低語著，顯然大家也在琢磨同樣的問題。康特接著說：「當然他也說了這麼一句話，『爲了到達你現在的境界／爲了遠離你不在的空間／你必須採取一種沒有醉人喜悅的途徑。』這些感想也可以用在科學研究上。今晚我想借用這位詩人的詩來描述你們慷慨地授予我這個獎勵。我並不擁有它，因爲你們所授予的這個諾貝爾獎的榮譽貢獻不是由一個或兩個人所做出的。而是多年的研究，常常是繁瑣並有多次的失敗，在那些忘我著迷的時間裡，有許多……」塞麗絲汀停止了聆聽。她在猜想，如果傑利被邀請做這麼一個晚宴演講，他會怎麼說。

服務員的精采表現是在上甜點的時候。喇叭聲一響起，燈光就慢慢減弱，直到整個大廳裡只有主席台上的蠟燭在獨自閃爍著。服務員們每人高舉著一個銀色的盤子，走到桌子相應的位置上停了下來。他們將分發蓋有一冰凍「N」字的傳統諾貝爾式冰甜點。

隨著司令員的一揮手，服務員們步調一致，以同樣的速度給每位客人上甜點。突然塞麗絲汀吃了一驚，她聽到了被喇叭放大了的傑利的聲音：起初她還以為他走到了她身邊。她抬頭看到穿著禮服神采奕奕的他，容光煥發地向前面的麥克風靠近，塞麗絲汀舉起她看歌劇的眼鏡。為什麼他沒有告訴她，他也會演講呢？

「陛下，」他先向國王和王后方向鞠了一躬，就好像他從小就受著皇家薰陶似的。「皇家殿下，尊敬的閣下，各位高貴的部長、大使，女士們和先生們。康特教授在開場白裡，引用了艾略特的《四重奏》中的幾句話，」這句話立即在席間觀衆中引起了一陣點頭和笑容，「我想我應該跟隨我的導師和教授，也引用艾略特的幾句詩：『諾貝爾獎是一個人通向墳墓之路，人們在得到它後就再也做不出任何事了。』」看得出整個大廳裡立即被驚訝所籠罩，接著的是竊竊私語。他這是在開玩笑嗎？斯達福在短暫的停頓後，自己給出了答案。

「當然，艾略特當時在這裡接受他的諾貝爾文學獎時並沒有這樣說。要不就太不禮貌了。他只在私下抱怨人們對他的期望和要求時說的。他獲得這個最高榮譽時，就已聞名於世，年近六十。而我，幾個星期之前還只是一個無名小卒。——」他又一次停頓了一下，菠娜對塞麗絲汀耳語討論他那掌握得當的速度。「仍希望著積極從事幾十年的研究工作：我不得不思考一下這些話。在我生命中這麼早就被授予諾貝爾獎，會給我帶來什麼呢？我準備借用艾略特結束他一生中的最後一首詩的方式來回答這個問題：『這是在公共場合下講的一些私話。』」

塞麗絲汀緊緊地將歌劇眼鏡按在雙眼上，直到把自己都給弄痛了。她想在斯達福慢慢掃視觀衆時與他的眼神會合。

「儘管康特教授非常慷慨地感謝了他的許多學生和合作者們，但他可以理直氣壯地認爲這個獎是對他的科學生涯中那驚險的創造力的至高認可，而我之所以站在這裡，是因爲我有幸受到他的栽培並在適當的時機應他邀請從事了這麼關鍵的實驗。僅在數週以前，我還在打算在完成博士後訓練後，申請從事獨立的學術工作。但是如果現在有人給我工作機會，我再也無從知道到底是因爲我與康特教授共得了這諾貝爾獎呢，還是因爲我以前的成績和將來的潛力？」

「我可以想像，許多諾貝爾獎獲得者，在爲斯德哥爾摩之行做準備時曾研究過前輩們的所做所爲：他們在這裡所說的話，以及他們在隨後的幾年中的經歷。當我也這麼做時，兩位在年輕時獲得諾貝爾的物理學家的身世，深深地震動了我。最年輕的一位是布拉格（W. L. Bragg）。他在二十五歲時就與其父因對X—射線結晶學的貢獻而得了諾貝爾獎。之後，他一生都從事這個學科的研究。丹諾·格拉塞爾（Donald Glaser），在三十出頭因泡沫腔的發明而獲得了此榮譽。我認爲他是一個十分好的榜樣。首先，他將一半的獎金花費在蜜月裡，」在聽衆的喝彩笑聲中，塞麗絲汀發現自己的臉紅了。她仍舉著歌劇眼鏡，沒有理會菠娜的輕推。

「他作爲我的榜樣的另一個原因，在於他在獲得諾貝爾獎後轉到另一個領域：將泡沫腔和宇宙射線的研究轉爲分子生物學和生物物理學，我決定也這樣做，由我自己去開闢一個嶄新的研究方向。但我還將更進一步，我相信這仍與諾貝爾的遺願相符。諾貝爾起初希望本獎金可以使獲獎者獨立起來，而如今諾貝爾獎只有助於得主們獲得基金會資助。而我則打算將這一大筆榮幸得到的錢，用在諾貝爾早在九十年前預想的原意上：用在爲我自己爭取職業的獨立性上——我將重新回到學校。」斯達福停頓了一下，讓觀衆聽清這句話，「到醫學院去爭取醫學博士，以使我能夠探索在康特教授的實驗室裡，提出的腦瘤發生理論的實際臨床應用。」

「由於是康特教授向我介紹了艾略特的詩，我相信他不會在意我引用他在開場白裡引用的同一首詩來結束我的講話：『我們將不會停止探險／探險的終點／將會是回到我們的起點／並第一次瞭解這個地方。』」

當斯達福回到與瑞典王后相鄰的座位時，塞麗絲汀拿起餐巾擦去臉上的眼淚。

宴會持續了近三個小時；此間塞麗絲汀一直未能與斯達福說一句話，交換一個眼神，實際上他已在數百個客人的面前向她求了婚。她很想在跳舞的時候補償一下，可這見面的機會卻被耽擱了。舞會是由大學學生舉辦的，在樓上的金色大廳裡。學聯會主席，一個可以作爲瑞典旅行社廣告的封面女郎的漂亮小姐，領著斯達福從王后的旁邊直下舞池。塞麗絲汀不得不克制住自己，與小汽車裡陪伴他們的那位瑞典人一起跳著華爾滋。下一支舞曲是狐步舞，康特把她接了過來。

「布勒斯小姐，」他很有禮貌地說：「我相信你更願意與傑利跳舞，但似乎邀請他的人太多了。狐步舞曲正是我喜歡的。我可以邀請你跳這支舞嗎？」

康特雖有一點點僵硬仍不愧爲一位跳舞好手。他領著她向人群的外圍旋去。塞麗絲汀恭賀他那動人的演講，但教授打斷了她，「我們還是談談傑利的演講吧，你事先知道他所要說的內容嗎？」

「一點也不知道。」

「我也不知道，不過我十分感動。我沒想到他會對我給他的關於艾略特的建議如此認眞。我很感動。」康特重複道。「我想，你一定對他去醫學院的決定有不少影響。」

「此話怎講？」

「獲得諾貝爾獎，然後決定回到學校當一名學生。」他沉思道：「他也許是對的。他使我重新思考艾略特談論諾貝爾獎時的那番話。我以前從未聽說過。」康特將頭向後移了移，以面對他的舞伴。「當我在那裡向傑利祝賀時，」他用頭向樓下蘭廳的方向示意了一下。「我問他決定去那所醫學院了，你猜猜他怎麼說？」

塞麗絲汀搖了搖頭。

「我以為他會選擇哈佛：傑利已在那裡了，加上庫爾特·克羅斯會為他安排好一切。出乎意料地，他告訴我已向威斯康辛大學和加州大學洛杉磯分校提了入學申請。你是否提及過威斯康辛大學是其中一個向你提供工作機會的地方？」

「對。」

「那為什麼還有加州大學洛杉磯分校？」康特納悶道：「那學校不錯，但同一個等級的至少有十幾個。」

「我不清楚，」塞麗絲汀答道，雙眼一直在搜尋斯達福，「也許他在加州理工學院有朋友吧。」

花了好一陣子，才有些年長的舞者退出舞池，讓塞麗絲汀與斯達福能夠面對面地在一起。他高聲叫了起來。「我花了好長一段時間才找到了你。現在我們終於相聚了，」卻又不能互相觸摸。他們踏著迪斯可的舞步，不停地扭動著腰部、肩膀和手臂。每一次他們相靠近時，都拋出一句簡短的問話。

「你考慮去加州大學洛杉磯分校了？」

「誰告訴你的？」

「康特。」

「這個鬼東西！」

「不，他只是弄不明白爲什麼？」

「你呢？」

「我明白！」她大聲叫著：「你想在離我近一點的地方用你的諾貝爾獎金。」

「用在我們兩人身上，」他大聲的喊了回去。

她停止跳舞，上前擁抱住斯達福，「活見鬼的舞會！」

在回酒店的途中，他們的護衛員轉過頭來問道：「斯達福博士，艾略特貞的說過那些關於諾貝爾獎與他的葬禮的話嗎？」

「對，這是他的最新一本傳記中記載的。」

「你的演講非常大膽。」他看著塞麗絲汀。「布勒斯小姐，你知道斯達福博士打算去上醫學院嗎？」

「不知道。」

「你覺得如何？」

「非常大膽，」她哈哈大笑，「也很棒，我只希望他會被錄取。」

這個人顯得一副很震驚的樣子，「得了諾貝爾獎之後？」

「這取決於你指的是什麼？」斯達福說：「讓我告訴你們兩人一個秘密，但一定要保密。除了威斯康辛大學和加州大學洛杉磯分校，爲了保險起見，我還申請了哈佛大學。」他向塞麗絲汀眨了眨眼睛，「你猜怎麼著？在我飛向斯德哥爾摩的幾天前，我收到了一個卡片，是從學校招生辦公室寄來的，沒有簽名。」

「上面寫了什麼？」護衛員問道。

「哈佛不考慮我的入學申請，因爲我誤了申請日期。」

「但是……，但是……，」他開始結巴起來。

「我知道你想說什麼，」斯達福打斷道：「顯然他們不知道我獲得了諾貝爾獎。這不正說明我在授獎演講時所想說明的論點嗎？」

「與一個諾貝爾獎得主做愛感覺怎麼樣？現在我可是名正言順的得主了。」他在塞麗絲汀耳邊低語道。已是清晨三點多了，但他們倆興奮得未能入睡。他們的禮服被扔在斯達福睡房的地板上。街上燈光剛剛能照清他們躺在床上的輪廓。

「良宵一刻値千金，對吧？」他用一種很滿足又很有男子氣的聲調說：「我眞希望晚宴時你坐在我身邊。」

「那你就會錯過與王后交談的機會。她長得怎樣？」

「她很友善，也很漂亮。」

「這等於什麼也沒說！你們談些什麼？」

「只怕你猜不到。」

「那麼你就告訴我吧。」她捏了一下他，「快點，傑利。我從未與皇室交談過。」

「明天晚上你就會，在皇宮裡——你跟我一起去。」

「我知道，可我就是想知道你們在晚宴上談什麼。舉一個例子吧。」

「好吧。餐具。」

「餐具？」她又捏了他一把，「認眞一點，傑利。」

「我發誓。你也見到了宴會上的擺設。你數過那些餐刀、叉子和湯匙沒有？尤其是餐刀？」

「沒有。」

「我數了，我以前從未使用過魚刀。在吃魚時，我用叉子來切它。後來看見了王后是怎麼吃的，我就學著她的樣。顯然上兔子的時候，她就已注意我了，但沒有出聲……」

「不是兔子，是野兔。瑞典野兔肋骨肉。」

「你好大膽，竟敢更正一位諾貝爾獎得主的話？」

「對不起，我的諾貝爾獎得主。」她竊笑著說：「繼續說吧。」

「我按平常的方法切著肉——我一輩子都是這麼個吃法的。終於，王后談起刀叉來。她很溫和也很有禮貌，但我看得出，她覺得很有趣。」

「什麼有趣？」

「我使用刀叉的方式。王后說西方人可以根據他們使用餐具的方式來區分。大多數歐洲人，一手拿刀，另一手拿叉，從不交換使用。吃豌豆時可是見眞本事。」

「得了，傑利，王后與你談起吃豌豆？」

「對，我是認眞的。據王后說，吃豌豆時，除英國人外，一般歐洲人都是將叉子放在可以盛食物的位置，也即弧形的部分朝著盤子，頭部朝上。然後用刀子將豆子趕到叉子上去。而英國人，王后說，雖然也是一手拿餐刀一手拿叉子，可他們過分地遵循從不交換的原則，總是保持著叉子的頭部朝向盤子，就像叉起肉片時一樣。結果在英國吃豆子的唯一方式是用刀面頂著叉子將豆子壓碎，作成漿糊狀的土豆泥這樣豆子才不掉下來。」

塞麗絲汀開始格格地笑。「傑利，我眞不敢相信！爲什麼王后會談論豆子？」

「是我的吃法。她觀察到我是典型的美國人。我是按第三種方式來使用餐具——她稱此爲最浪費時間的使用方式。她指出我切肉的方式：放下刀子；把叉子換到另一隻手；吃那麼一口；然後又換過手來，如此反覆做著，直到吃完整塊肉。你猜猜她最後問了我什麼？」

「繼續說。」

「爲什麼我們這些應該是效率很高的美國人，從未花點時間及雇個專家來分析一下，如果每個人都改用歐洲人的吃法，美國的生產力將增長多少。我回答說美國人想吃慢一點，來增加進餐間的交談。她很贊同我的回答。」

「這就是你們的全部談話內容嗎？餐刀、叉子和豆子？」

「不是。」

「還有什麼？」

「當我講完話，回到座位上時，她問及我對蜜月的表白：是一個假設呢，還是我心中已有人？」

「你是怎麼說的？」

「我告訴她，我是說眞的。這位候選人就坐在觀衆席裡，但我還沒有正式提起。」

「沒有嗎？你在幾百人面前講的那番話呢？」

「我想那還是太含糊了點。」

「可能對王后是這樣，但對那位候選人就不是。」

「傑利，過來看一看，」塞麗絲汀喊了起來，她穿著斯達福的睡袍正站在窗前向外望去。

「幾點了？」床上傳來懶洋洋的一聲問話，「我不淸楚，」她回答道：「可能十點鐘了。太陽已升起來了，又是一個晴天。快過來，」她打著手勢，指了指下面的街道。

他們看見康特和菠娜·柯里站在水邊觀看斯特勒門岸邊的海鷗。他們手拉著手。

「看到I.C.與女人在一起，感覺眞奇怪，」斯達福沉思道：「難以想像，不知道他們是不是熱戀中。」

「我希望是。」

「他看起來很快樂。」他繼續沉思著，就好像沒有聽到她的話。

塞麗絲汀轉過身來，滿臉驚訝，「難道他不能快樂？你不快樂嗎？」

「有一些，因爲今天是星期一。」

「所以？」

「今天下午我們得作正式的演講。」

「傑利，你不會爲此擔心吧？」她用手捧起他的臉龐，「你已有了講稿和幻燈片。而且你一定很清楚你要講些什麼。」

「對，我知道。但我還是有點擔心。」

瑞典最主要的醫學院——卡羅尼斯加（Karolinska）研究所的大廳裡坐滿了人。老教授們坐在前幾排，許多學生們則只能擠在走道的台階上。除了新聞記者和攝影師們，還有許多非學術人員也聚集在這個演講廳裡。儘管是很學術性的報告，然而，癌症和諾貝爾獎兩者加在一起，對許多以前從未在該所坐下聽完一個講座的人來說也具有很大的吸引力。斯達福和康特分坐在前排喬治·格林（George Klein）教授的兩旁。格林教授是世界上頂尖癌症生物學家。作爲卡羅尼斯加大學的資深教授，當然該由他來介紹兩位發言人。康特與格林已相識多年，而斯達福是在星期六才剛剛認識他的。在現在這個場合，因康特非常出名並衆人皆知，格林能很容易很有禮貌地介紹他。對斯達福能說些什麼呢？除了說他師從康特而獲得博士學位（這個人人皆知），以及他現在在哈佛大學庫爾特·克羅斯的實驗室工作以外，還有什麼呢？他決定簡短而優美地把兩人一起介紹。

「今天，我們有幸能傾聽兩位『特殊的人』，」格林說著，每隻手伸出兩個手指來模擬引號。「我是根據傑拉爾德（Gerald. Holton）的定義來使用這個詞的。他是哈佛大學物理和科學哲學家，他認爲：『製造』科學的人與大多數科學圈子裡的『做』科學的人，那些從事大多數的『清理工作』的人不同。『清理工作』一詞是另一位科學哲人柯恩（Tomes Kuhn）所製造的。我們這兩位獲得者的生平和職業簡歷已在昨天諾貝爾獎頒獎儀式上講過了，我今天就不再一一列舉。由於他們的演講將描述、報告由他們共同努力而獲得的成果，我建議我們不要在中途打斷他們的報告。康特教授，」他向坐在第一行的老友笑了笑。「我希望你不會在意，在斯達福博士一講完後，你就接著開始你的報告。這就像華格納的歌劇，沒有間斷地從頭聽到尾。斯達福博士——」格林伸開手臂「我知道你是第一個。」

斯達福走到講台前，調整了一下麥克風的高度，便開始了他的演講報告。他就像一位游泳員，不問水深就立即潛下水去。除了對格林的那一下點頭以外，他根本沒有按照標準的方式來演講，連「女士和先生們」也省了。

「請放第一張幻燈片，」這是他的開場白。在屏幕上檢查過，手握雷射光筒後，他開始道：「我們決定按時間先後來介紹我們的工作，碰巧，這樣子邏輯性也很強。先讓我講講理論構建……」

康特靠回到座椅上。這樣子不僅使他可以更方便地觀看幻燈片，同時也因爲他現在很輕鬆。在異國情調濃郁的諾貝爾獎儀式後，他再一次回到了他的樂園：那些學術性用詞，那穿透黑暗房間的幻燈機光柱，那演講人的講話節拍，使得他進入了一種很熟悉的狀態，這是一個聽衆聽一個已聽過的報告時，所處的那種注意力半集中的狀態。他淸楚地記得「理論構建」這個詞，就在寄往波士頓給斯達福的講稿裡的第一段。隨著斯達福講演的進行，康特閉上了眼睛。他無需再看幻燈片，很淸楚，傑利的演講沒有偏離康特的講稿。

那兩位女士坐在宏大的圓形劇場的中部靠近走道的地方，塞麗絲汀神色專注，而菠娜則開始昏昏欲睡。談論的話題對她來說是專業性太強了一點，許多詞都令她摸不淸頭腦。但當斯達福講了快半小時時，她突然發覺她聽到了一些她可以聽得懂的詞。也或許是因爲他講話的聲調變了？她身邊的塞麗絲汀也坐得筆直。她向前傾著，可是在黑暗的房子裡，在來自下面講台上的台燈的光線和頂上幻燈片的光圈中，她只能辨淸斯達福臉部的輪廓。他臉上表情捉摸不透。「現在讓我們來看看理論與事實的關係，」他說著，「科學理論不能被證實時，只能被否定。換言之，它必須由實驗來檢驗。」

康特睜開眼睛，看了一下手錶。這些話語聽起來好像在暗示已輪到他的演講了，但斯達福僅僅講了二十八分鐘。傑利應該演講四十五分鐘的。康特對於他沒有用完這全部的時間感到吃驚。「所以，我想藉此來介紹一下……」

康特大腦的雷達開始檢測到第一個不正常的訊號。是因爲傑利使用了「我」這個第一人稱單數嗎？

「……第一個用來驗證這個腫瘤學通論的實驗。」聽衆中只有兩個人對這句話有反應，而這兩個人全都像被冰水淋身一樣。康特坐直了身子，塞麗絲汀則掩住了嘴巴。「不，」她低語道。

「怎麼了？」菠娜連忙朝向她的侄女。

「聽著！」塞麗絲汀在喉嚨底哼了一句。

此時斯達福又用回了「我們」這個第一人稱複數，直截了當講解著他的第一個實驗，那個康特以爲早被埋葬了的實驗。塞麗絲汀仍在琢磨是什麼原因使得傑利提起那個話題，這時又冒出了另一個更大的吃驚。「但是自己來驗證自己的理論並不夠，還必須有外間的驗證。哈佛大學的庫爾特·克羅斯教授讓他實驗室的大橋博士來提供這樣一個驗證，重複我們的實驗。」

這個人的頭腦出什麼毛病了？康特憤怒地想著。傑利發瘋了嗎？塞麗絲汀閉上了雙眼。此時她的感覺就像一個人開車進入單行道，突然發現另一輛車迎面開來。她所能做的便是猛然踩住剎車閉上眼睛。

正當她在等待著「撞車」，她聽到斯達福說：「起初，他重複我們的實驗時遇到困難。仔細檢查了每一個步驟後才發現其原因所在。原來是由非常微不足道的事情造成的。」他望著坐在前排正瞪著他的康特，眼中露出一絲笑容。「如果說從這件事中可以汲取教訓的話，那就是最最微小的細節也應記錄到筆記本中去。」康特在這段話的回聲中顯得有失常態，此話他自己以前曾多次重複過。「你不知道那個細節可能是至關重要的。」

塞麗絲汀睜開雙眼：斯達福的笑容是顯而易見。「很幸運，大橋博士在幾週前重複出了我們的實驗。事實上他的驗證並不是很有必要，因爲同時，我們設計出了第二個實驗，做的非常成功漂亮。」他稍停一下，待話音落下，「順便說一句，這個實驗現在也正由克羅斯實驗室仔細地檢驗著。我堅信它最終也會被重複出來的。」演講中第二次他的眼神停留在康特身上。但這次他沒有微笑，對於已發呆了的康特，這似是一個警告。他在心裡罵道：「你這個忘恩負義的傢伙。」他說的「最終」又是什麼意思?

康特還沒能消化這些威脅性的暗喻，斯達福已把球傳過來了。「這樣，我們實際上有兩個獨立的實驗來驗證我們的理論。我相信你們中間沒有誰會認爲這是『t』字多了一橫，或『i』字多了一點。說到底 tumorigenesis theory 二字的拼寫中有兩個 t 字母，而且這理論是由兩位『i』進行研究的：『我』自己（I）和名字也由「I」起頭的（Isidore Cantor）康特教授。現在他會給你們講講第二個實驗。」

燈光亮起，觀衆發出一陣掌聲，斯達福等待著康特站起身。講台兩側均有二級台階。當斯達福看到康特慢慢地向右邊的台階走去時，他從另一側的台階走下講台。

塞麗絲汀很驚訝，他怎會在這公共場合下講假話呢?如果傑利講的是實話，這分報告的內容將被刊載在諾貝爾獎基金會的歷史檔案上。那麼，他很技巧地將康特從一位「特殊的人物」轉變爲一位普通的科學家，來講解一個不那麼起眼的最多只能被稱之爲一個待驗證的實驗，然而只有康特和塞麗絲汀兩人可以理解他如此做的來龍去脈。

康特只有短短一分鐘的時間來警告他局面的巨變。後來在那天晚上，塞麗絲汀和斯達福在談及康特那隨機應變的即席表演，都對他很佩服。

「『詞句歪曲，／在重壓下破裂，／在張力下滑離，枯萎，／含糊不清地腐爛，消失，／將不會永存。』」康特抑揚頓挫地朗讀艾略特的詩詞，雙眼則緊盯著斯達福，直到斯達福終於移開了視線。「不過這些都不是我今天的問題。」他看著觀衆接著說：「因爲我的同伴已爲我接著完成講述我們的合作提供了捷徑。他的話完全正確，爲了證實一個理論，我們必須去驗證它。對一個至關重要的理論，兩個驗證遠比一個強得多。讓我最後一次引用艾略特的詩詞：『老人應當是探險者／不論在那裡都沒有關係。』與斯達福和我的其他學生們相比，我是夠老的了。這也許是爲什麼我用自己的雙手來做下面將講解的這個實驗。」

報告剛一結束，格林一提出休會，康特就對這位主人說：「格林，我剛剛想起，我必須馬上打個電話回美國，我可以使用你的辦公室嗎？」

「克羅斯，」克羅斯一接電話，康特就說：「我是從斯德哥爾摩打過來的。我知道時間早了點。」

「沒關係。」克羅斯興致勃勃地說著，「恭喜你！你的報告怎麼樣？」

「幹嘛不讓傑利·斯達福回到波士頓後告訴你呢？」他狡黠地回答，「提到斯達福，他告訴我，你們最後重複出了我們的第一個實驗。我心中一直在納悶：最後是怎麼成功的？」

「我想我本該打電話告訴你的，但是大橋僅僅在幾週前才做出來，而且傑利想讓您驚喜一下。他不斷地纏著大橋要他再試那麼一次，儘管我告訴他們不可能在十二月十日之前同時完成兩個驗證實驗。」

「繼續說吧，」康特不由自主地說著，心中已猜到下文了。

「大橋做完了你的實驗的三分之二。可是，I.C.，斯達福一再堅持要我們再一次檢驗一下他那第一個實驗。他說，爲了歷史，第一個實驗應在今年的十二月十日之前重複出來，不能推辭。不管怎麼說你們兩人因那個實驗而獲得獎的。他甚至自告奮勇給予幫助。所以我答應了，告訴大橋再試一次。最後查出失敗的潛因，發現出奇地簡單：原來是大橋使用的一台新的放射閃爍計數儀還沒校準過。你也知道的，就是這麼些浪費時間和精力的細節……」

「噢噢。」康特的回答聲幾乎聽不見。

「I.C.?你聽見我講的話嗎？」克羅斯喊叫著。

「是的，我聽見了。」

「有一個問題，」克羅斯遲疑著，「大橋完成不了你的實驗了。他在日本京都找到了一分非常好的工作，意味著他將盡快結束他自己的工作。所以我決定將這事移交給……」

康特沒有聽見下文，他的左手指緊壓著電話的短路器，就好像在壓滅一支香菸一樣。

康特建議菠娜與塞麗絲汀乘一輛車回酒店，他想與斯達福談一談。

「傑利，」他開始說道：「爲什麼你沒告訴我你要講的內容？這是最起碼的禮貌，你不認爲這樣做才公平嗎？」

斯達福避開他的眼神：「I.C.，我不能夠這樣做。」

「哈！」康特嗤之以鼻，「爲什麼？」

「你會要我不要提及那個實驗。」他終於看著康特，臉上露出痛苦的表情。

康特回視著他：「對，我可能會這樣做。」

「I.C.，你難道不明白嗎？」斯達福叫喊了起來：「如果這第一個實驗沒有在克羅斯實驗室中重複出來，我就不會有斯德哥爾摩之行。我想我如果不將它公諸於衆，你就不會相信我。」

「傑利，你說的對。」他勉強承認道，「我已給克羅斯打了電話。」

「眞的嗎？」斯達福聲色俱厲，「什麼時候？」

「報告剛完時，在格林辦公室打的。」

「如果我是在私下告訴你，你會給克羅斯打電話嗎？」

「不會，」康特承認道：「我不敢這樣做。克羅斯大概猜出怎麼回事了。完全是你逼我這樣做的，傑利。」

「我知道。」斯達福低聲咕噥道。

康特望著車窗外，眉頭緊皺。終於他轉過臉來。「傑利，那個星期天晚上你在我實驗室裡做什麼？」

斯達福抬起頭來，「你怎麼知道我在那裡？」

康特聳了聳肩，「這不重要。」

「沒錯，」斯達福同意道：「重要的是我在培養物中補加了一些酶。這就是我到你家裡時想告訴你的事，並解釋為什麼我這樣做。但是你不讓我說。」

康特短暫地閉上了他的眼睛，艱難地呑咽下口水。有好長一陣時間他沒有說什麼。「那第一次又是怎麼回事呢？」

「難道你還得再問嗎？」斯達福反擊道：「難道克羅斯沒有給你解釋清楚嗎？」

「是……但是……」

「但是當大橋最後成功重複出來的時候，我也在哈佛，對不對？I.C.，這是你想說的嗎？」

康特無言地點了點頭。

斯達福望向車窗外傍晚的交通。「I.C.，就這整件事而言，我知道我永遠也洗不清我星期天的所做所為，在你眼裡是如此，在我眼裡也是如此。這也是我要去醫學院讀書的眞正原因。我要重新開始一個新篇章，而不是僅僅是將歷史翻了過去。」

「我認爲這是很聰明的方法。」

「聰明？」斯達福的叫聲如雷，使得前排的護送員轉過了頭來。斯達福已忘記了前排還有人。他立即假裝查看伸展在林肯豪華車廂裡的雙腳。「那麼說這就是你的想法。」他終於低聲說道，「只是『聰明』？你大概認爲這是一個處罰吧？你從未想過在整個故事插曲中你扮演了什麼角色吧？你忘了在第二次與你重複實驗時，你是怎麼使得我不可能做出讓你失望的事的？」他的嗓音再一次升高了起來。康特將食指放在嘴唇上提醒他。

「說穿了，你所關心的是整個世界上如克羅斯之流會怎麼想的。你不會原諒我將你置於一個可能被證明有錯的處境。對不對？」

輪到康特看窗外了。「『不會原諒』說得太重了點。說『不會忘記』也許更爲貼切些。」

「你不是將我召喚進來，而是將我完全蒙在鼓裡。你想要的只是一個克羅斯可以驗證的實驗。對不對？I.C.？」

康特飛快地看了一眼他的同伴，但什麼也沒說。

「沒有克羅斯的驗證，」斯達福不無諷刺地說：「你的癌症理論就不完整，這是實情吧？回答我，I.C.」他追問著，「難道不是嗎？」

「是的。」

「現在你在想大橋驗證了我的實驗並不算數，因爲當時我也在哈佛，對不對？」

「對。」

有好一陣子，兩位男人一直沉默著，各自以相反的方向望著窗外。車在冬天的街道上緩慢地行駛。當斯達福再說話時，聲音似乎過於小心。「順便問一句克羅斯有沒有告訴你大橋的事情？」

康特答道：「有，他說是因爲放射記數器校準有誤等等。」

「我說的並非此事，他有沒有告訴你大橋要返回日本了？」

「是的。」，康特的聲音很微弱，霎時之間，眼皮沉重得昏昏欲睡。「他說將指派實驗室另一個人來做。」

整個下午斯達福的語氣中第一次流露出了憐憫，「我想你不知道那個人是誰吧。」

第二十章

「I.C.，你這個地方眞不錯。爲什麼你從來未說起過。它使我聯想你是否還有別的秘密。」

康特很是得意：這一句話來自克羅斯可算得上是種讚美。「克羅斯，我也許有不少缺點，但並不神秘，問我的學生就知道了。」

克羅斯向康特狡猾地一笑，「也許我會問你的斯達福。但是我現在不是在談科學，我指的是，自從你看準方向加入了與癌症奮戰的十二年裡，我很瞭解你在專業上的一切，但對你的私生活卻是一無所知。譬如說，你從未告訴我，你在芝加哥有房子。還有這個，」他用手指了指四把椅子和音樂架。「在我面前你從未吹過一聲口哨，況且還是一位英式古典家俱的收藏家，還有什麼秘密？」克羅斯故作懷疑，伸著脖子四處張望。

「你也從未問過。我們的每次見面都是爲了工作，那麼你也研究英式家俱？你也對音樂感興趣嗎？」

「雖然沒時間玩樂器，但是，我喜歡音樂。」他神秘地輕輕推了推康特。「我甚至在唐李伍德（Tanglewood）面試過。」

康特稍微有點不悅：這不像是克羅斯會開的玩笑。他決定不去理它。他覺得，到時他就會弄清楚的。「你今晚要不要住在這裡，聽我們演奏？通常我們沒有觀衆，但是我大概可以說服我們那位暴躁的第一小提琴手破個例。」

「不行。」克羅斯直截了當地回答道。「我的飛機傍晚七點起飛。明天一早我必須回到實驗室——你知道的，總得有人揚起鞭子。不像你啊，I.C.，你現在可以輕鬆了，對學生寬容一些，還可以拉拉你的小提琴。」

「中提琴，」康特做了一個鬼臉，插嘴道。

「不要這樣咬文嚼字。我是說，你已有了一切，而我們這些人還得……」

克羅斯的聲音中斷了，好像他突然想起了別的什麼似的。「你收到我的個人簡歷和自傳了嗎？我最近將兩項都重新修改了。我想你也許用得上。」

康特假裝沉思地皺了一下眉頭，「啊，對。我是收到了，但不清楚放在那裡。你想像不到我最近收到多少信件。」

「哦，我很高興提醒了你。我可不願意白費勁。」

「對，」康特乾巴巴地說：「我從未見過印得這麼精美的個人簡歷。你的秘書一定使用了三種以上的字體。你是怎麼讓雷射印表機處理這麼複雜的信函的？」

克羅斯提防地抬起頭，「我不知道。我們有專門的人做這些事。我把自傳看得比個人簡歷重一些。我決定按主要經歷安排和分組。與大多數人一樣，我也對有些『充數文章』感到不自在，這次我刪去了這些，只留下一些精髓。」

「我注意到了。」

「我認爲這樣做方便一些。」

「方便一些？」

克羅斯繼續說著，好像沒有聽到這個問話。「你寄出你的推薦名單沒有？」

康特一直坐在角落裡，雙腿交叉著；一隻手臂搭在沙發背上。克羅斯坐在另一角。康特突然站起身來，「克羅斯，我還沒有給你倒飲料喝，去飛機場之前想喝些什麼？白酒？雪利酒，還是梨酒？」

「什麼都不要。謝謝。我在飛機上有晚餐，一定也有很多酒喝。只要出公差我都坐頭等艙。」

「我要喝點雪利酒，」康特邊走向安妮女王式的餐具櫃邊說。

「哎，你寄出了嗎？」

康特被這個赤裸裸的問話驚呆了。「沒有，」他說著，小心翼翼地倒雪利酒，就好像那是實驗裡一種很危險的化學試劑似的。「我想都還沒想過提名候選人的事。」

「我指的不是爲一般的獎勵候選人，」克羅斯把「人」字拉得很長：「我問的是爲『那個』候選人提名。說穿了，諾貝爾獎獲得者特權之一——可能是維持最久的唯一一個特權，就是不必等到委員會要求你提名，就可以這樣做。他發出了短促僵硬的笑聲。「I.C.，你眞幸運，去年輪到了我……」

已回到了沙發一角的康特，被雪利酒嗆住了。克羅斯伸過手來捏捏他的背，「I.C.，放輕鬆，我們可不能失去你。」

此時，前門有鑰匙在開門。「倫納德，親愛的。」一個女人的聲音傳來。「我設法早點出來了——噢噢，」菠娜·柯里剛進入客廳的門就叫了起來。「我不知道你有客人。」

康特跳了起來，幫菠娜取下購物袋。「這是從哈佛來的庫爾特·克羅斯，」他邊說邊朝克羅斯的方向示意。「他在去機場的途中順便來拜訪一下。我以前曾跟你提過他。庫爾特，這是菠娜·柯里。」

「啊哈，」克羅斯叫了起來，雙眼打量著菠娜。「我就知道還有更多的秘密。你好，柯里女士。」他慢慢站起身來，並隨便彎了彎腰，「是否該稱柯里博士呢？」

菠娜往下瞧了瞧克羅斯，他比她還要矮六英寸左右。「叫菠娜·柯里就行了。」一般來講菠娜不會盯著人看的，但顯然她很驚訝。關於他的傳聞她聽了不少，先是從康特那兒，後來是在斯德哥爾摩從斯達福那兒，她心中對他形成了一個形象：一個權力很大，普魯士行政官的樣子，絕不是這麼個有特大腦袋的小矮子，愛因斯坦式的亂頭髮和細小閃爍的眼睛。現在她所能聯想到的只是競技場上的侏儒領袖阿伯里奇。她終於說道：「我不打擾你們，我要趕在索爾和羅夫來之前更換一下衣服。」

「柯里小姐，你沒有打擾我們。」克羅斯已返回坐在沙發上。他一坐下，更顯出他的大腦袋和小身子。「你在這裡演奏的是角色是什麼？」他以慣常直截了當的方式問道，手臂並朝客廳四周揮了揮。

「四重奏中的大提琴。克羅斯教授，你拉什麼？」

康特臉上露出了一絲微笑，他很高興見到克羅斯第一次處在招架的地位。

「我沒有時間演奏。」

菠娜皺起眉頭，「可是科學也是可以演奏的。」

「柯里小姐，科學更像是打仗，而不是演奏。我最好不要打擾你們倆人的演奏。」他接著以嘲弄的口吻說，「還有一件事，I.C.，」他轉向康特，好像菠娜已不在場。「我想我還是告訴你好了，斯達福在重複你的實驗時遇到一點困難。」

康特覺得臉上一陣發燒。流露出來了嗎?他心裡想著。

克羅斯感到他擊中了要害。「你也知道事情是怎麼回事。」他臉上掛有淡淡的微笑，繼續說著：「就是最棒的人也會遇上這種事。大概是他忽略了你寄給我們的材料中的某些細節了。我建議斯達福回到你這裡，在你實驗室與你一起做這個實驗。當然費用由我的國家健康研究中心（NIH）的資金中出。」他大方地擺了一下手。「但是斯達福不聽。他說他要在不同的實驗室獨立地重複這個實驗，而不願意像浪子返回家門似的。不過你不用擔心，I.C.。」——克羅斯從沙發上站了起來——「我不會向其他人講起。斯達福一定也不會好意思到處講。記得你曾經給我講過，他是你手下最能幹的人？要是他不能重複出你的實驗的話，那你眞該慶幸這事是在我的實驗室而不是其他地方發生。」他向菠娜彎了一下腰，開始向門道走去。「我得去機場了。」他又遲疑了一下。「I.C.，你知道嗎，我們眞得感謝聯邦快遞服務，今天是一月二十五日。」

「他是個很特殊的人，」克羅斯身後的門一關上，菠娜就評論道：「那個日子的隱晦涵意是什麼？」

「這個敲詐勒索的混蛋！」

菠娜從未見過康特如此生氣的表情，也從未聽他罵過任何人「混蛋」。

「倫納德，火山爆發了，」菠娜試圖平息他的怒火，「告訴我是怎麼回事。」

康特在室裡來回不停地走動著。「厚顏無恥的傢伙。我得承認重大問題吸引各方好手，癌症就是一個大問題。要是別人告訴我剛才發生的一切，我絕對不會相信。即使克羅斯本人告訴我，我也不會信。」雙手插在口袋裡，他凝視著密西根湖的夜景。他轉過身面對菠娜，斜靠著窗枱，搖了搖頭。沉思了好一陣，當他再一次講話時，聲音微弱得幾乎聽不見。「菠娜你知道嗎？爲諾貝爾獎提名的信必須在一月三十日之前寄到。眞不敢想像有多少科學家盯著這個期限。」

菠娜走向窗邊的他。「你過去也是嗎？」

康特點了點頭。「是的。我也知道這個期限，但我還不至於這麼無恥地找人推薦我。你進門時克羅斯剛剛對我提出了這個要求。他暗示說我欠了他的情，因爲是他爲我提了名。我怎麼知道別人是否也爲我提名了？別人就不會拿著個大討飯碗找上門。」康特壓低了聲音：「對不起，那實在是骯髒。我想你一定很失望：你很少看見科學家們在大庭廣衆之下清洗他們的髒衣服。」

「都是人嘛，你自己就給我示範了就連著名的科學家也可能是很有人性的。」他向她微笑了一下，「不管怎麼說，我還是對克羅斯那傷人的暗示感到吃驚。」

「你會爲他做嗎？」

「不，我不會。」他幾乎吼了起來。

「這又是爲什麼呢？」菠娜抗議地說。「你以前告訴過我，他是一個很偉大的科學家。你說過有一個腫瘤是以他命名的對嗎？他難道不是你的導師嗎？今天，我親眼看到他了，雖然我不清楚當初爲什麼你在所有名單中選中了他，難道他不配獲得諾貝爾獎嗎？」

康特舉起手來，以阻止她再問下去。「對你所有的問題，我都給予肯定的回答。但是我今年絕不會提名他。我一直忙到現在，沒有時間考慮爲克羅斯或任何其他人提名諾貝爾獎的事。同時，問題不在於他是否配獲得諾貝爾獎。他當然夠格。他的腫瘤，還有他的一些其他的工作都使他夠得上資格。但是應當得獎的人比獲獎的人多得多。克羅斯在好些年之前就應當得到了。可是現在有很多的新發現，他的排名也就在日益增加的排名單上向後面挪著。加之，瑞典人也不可能連續兩年授獎給癌症研究。」

「這只怕不是眞正的原因吧？」

「不是。最根本的原因是我決不接受敲詐勒索。」

「好啦好啦，倫納德。克羅斯提示你欠他提名的情是有點無恥，但是你怎能稱那爲敲詐勒索呢？」

「你也聽到了。他說斯達福在重複我的實驗時有困難。」

「但是——」

「我知道你要問什麼。『爲什麼傑利又給牽連進來了？』你難道看不出來？在他龐大的研究室裡選擇傑利來重複我的實驗絕不可能是個巧合。在他向我保證他不會對外人說起時，你沒看見他眼睛中露出的陰險目光？他向每個作演講報告的人開刀時也是這種眼神。他的意思是，他不會外傳，但前提是我……」康特覺得沒有必要講完這句話。「但是傑利既然碰到了麻煩爲什麼不給我打個電話？」

菠娜將他的右手放在她的雙手中。「你這下倒問中了問題。在你從斯德哥爾摩給克羅斯打電話時，他一定猜到了你與傑利之間的事。」她安慰地拍著他的手。她又說，「如果我問你一件事，你不要生氣。我在斯德哥爾摩時就很想問，只是當時時機不對。你難道不覺得，傑利只能透過斯德哥爾摩的聽衆來與你交談，這是很令人傷心的？而且在那事之後，你還是不相信他?克羅斯一定是從中看出了事情的原因。」

「大概是吧，」康特悶悶不樂地說道:「但是，爲什麼傑利不打電話來?我眞想知道他們實驗室發生了什麼事?」

「那麼給他打電話吧。」

「說些什麼好呢?說『克羅斯向我提及你在重複我的實驗中遇到一些麻煩，我可以幫忙嗎?』絕對不可能!這太丟人了。」

菠娜慢慢地搖了搖頭，主要是出於對他的同情心而非不同意他的想法。「那麼，問問塞麗。她也許知道。我還沒有告訴你，她明天從洛杉磯回來，我想你不會在意，我已邀請她到這裡吃中飯。然後再乘公共汽車回學校。自從斯德哥爾摩後，我一直沒再見過她。」

康特抬起頭來，「我喜歡她，傑利眞是選對人了。」

「好極了，倫納德!你一次比一次開明。我敢打賭克羅斯一定會說是『她選對了人!』」

「塞麗，讓我瞧瞧你。」菠娜拉著塞麗絲汀的肩膀，伸開她的雙手，慢慢地旋轉著她。「如果我不知道這位是我妹妹的女兒，我會說眼前這位是個開著豪華小車的芝加哥年輕貴族。你看，倫納德，」她大聲笑道:「過膝的藍裙，相配的外套，合適的鞋跟，白色襯衫，還有這個職業性的柔軟大領花。塞麗，你有什麼好消息?」

「饒了我吧，菠娜。」塞麗絲汀咧著嘴笑了笑，「我可不可以在答辯前歇口氣，坐下來。」

「親愛的，當然可以。我去拿杯咖啡來。然後告訴我你怎麼突然變得中規中矩。」

康特獨自一人與塞麗絲汀在一起，並沒有開玩笑的心情。從昨晚起，他就一直在心中盤算著如何提起傑利·斯達福和他現在的工作。

「是什麼風把你吹到芝加哥來了？」他終於問道。

「噢，菠娜沒有告訴你？我飛到洛杉磯，到加州理工學院面試去了。」

康特記起他們在諾貝爾宴會後一起跳舞時的交談，「加州理工學院也給了你一個工作？」

塞麗絲汀點點頭，臉上笑開了。

「眞是了不起。先是哈佛，現在又是加州理工學院。」

「在這之前，還有威斯康辛。」她補充道。

「還有呢？」康特心想，這姑娘會說個沒完。他還沒有想到如何提起斯達福。剛剛有了克羅斯的教訓，他不想強迫轉換話題。

「我在回家的飛機上，已拿定主意去加州理工學院。」

「我來的正是時候。」菠娜說，端著盤子走了進來。

「你拒絕了哈佛大學？」康特的好奇心終於壓住了他的不耐煩。「爲什麼？」

「很簡單。加州理工學院的化學系規模較小，合作氣氛較濃，研究生都是第一流的。而且他們還沒有拿到終生職位的女化學家。」

「你會發現很多其他大學也一樣。」康特冷淡地說。

「不錯。」塞麗絲汀承認，「但是他們好像比較重視。傳聞哥倫比亞大學的賈桂琳・巴頓（Jacqueline Barton）會轉到那兒做正教授。他們的老祖師爺傑克・羅伯（Jack Roberts）也與我聊起他那當物理學家的女兒。他還主動提出幫助我和傑利在校園附近找房子。」

「你和傑利什麼時候結婚？」康特抓住了話題。

「我不知道。我跟傑利說，我們最好先在一起生活一段時間，看看是否合適。」

「你們不是住在一起了。」菠娜說。

「你知道，當時情況不同：各自的職業還沒有獨立。」康特不知他自己表達清楚沒有，他只想將話題讓出去。心中一直在琢磨一個與斯達福更有關的問題，但塞麗絲汀還沒有講完。「我的意思是，不知道與一位諾貝爾獎得主生活在一起是個什麼樣子？他現在倒處理得很好，可誰知道將來會是怎麼樣？菠娜，你覺得如何？」塞麗絲汀見她姨媽突然一臉的窘迫，咧嘴笑了笑。

「如果你結婚，」康特插嘴道：「你會以斯達福太太的名字發表文章嗎？」

塞麗絲汀看著他，不知道他的問話是在開玩笑呢還是認眞的。菠娜插了進來：「我知道塞麗絲汀會怎麼回答。」

「你知道？好吧，菠娜姨媽。」她怪聲怪氣地說著「姨媽」二字。——「告訴我吧。」

「毫無疑問你會沿用自己的姓。」

「有可能，但不一定。」

「什麼？你想改名爲塞麗絲汀·斯達福？」

「不，我沒有這麼說。如果傑利改了他的姓，我也會考慮改我的姓。」

「傑利？『傑利·布勒斯』？」這次輪到康特吃驚了。

「嗯，我喜歡這個名字。但我想的是使用連字號，將兩個人的姓聯起來的姓。」

「哦，」康特再一次力圖控制話題。「你剛剛在說著你在加州理工學院的面試，怎麼就提起傑利的名字來了？他——」

「噢，對了，」塞麗連忙說著：「我告訴他們我的未婚夫打算上醫學院，他已有細胞生物學的博士學位。當我告訴化學系的頭頭格雷（Harry Gray）說傑利已申請了加州大學洛杉磯分校後，他說他認識那裡醫學院的院長，並打了個電話。眞是好玩。我猜那個院長一定問了『他叫什麼名字？』『傑利米亞·斯達福。』我說道，『他是搞細胞生物學的。』格雷往電話裡重複了一遍，我可以看見他，還可以聽到電話那端的院長的立即反應。『就是那位……？』穿著這身衣服，打著個領花，我只能莊重地點點頭。」

很顯然塞麗絲汀在講起她的故事細節時，很是興致勃勃。康特聽不下去了。塞麗絲汀提及了斯達福這給了他一個開頭的機會。「傑利最近在做些什麼？」他問道，「他在克羅斯實驗室裡工作怎麼樣？回想一下，我在斯德哥爾摩竟從未問過他這些。」

「他說，與你的實驗室不一樣。」

「這是什麼意思呢？」康特吸了吸鼻子，鼻孔張開。

塞麗絲汀好笑地望著他，「我們倆住在一起的那段日子裡，似乎每天你至少見他一次，也許還更經常些。」

「所以？」

「傑利說，他如果在一個月裡能見到克羅斯幾次就算走運的了。他這人很獨立，所以這對他也合適。他試圖用不同的藥物對克羅斯腫瘤的反應，來設計一個測檢抗癌活性的新方法。但是這個腫瘤不那麼容易在組織培養裡生長。」她對坐在旁邊的康特補充道：「同時，他在盡可能地多學習篩選技術的新方法。他認爲這個對他到醫學院後的臨床工作會特別有用。」

「他就做這些嗎？」

「我想是的。」塞麗說：「至少上次他在這裡時沒有提及任何其他的東西。」

「傑利到過這裡？什麼時候？」

塞麗絲汀抬頭看了看，對康特的命令式提問感到很驚訝。「兩三星期之前。華盛頓誕辰紀念日那天他還會來。」

康特拿出他的袖珍日曆。「菠娜，那個週末我們到學校裡去，我們可以邀請傑利和你侄女午餐。」他儘量裝得很隨便的樣子。「上次在我屋裡見到傑利時，情況比較特殊。現在該是我們好好祝賀這對幸運兒的時候了。你認爲如何？」

菠娜和塞麗絲汀交換了一個眼神。康特專注於他的思慮裡，沒有注意到。

「猜猜我今天見到誰了？」

「I.C.」。

「什麼？你怎麼會猜到？」

「純粹憑直覺。」

塞麗絲汀能夠從電話裡聽到斯達福的格格笑聲。「好吧，眞不敢相信。」她說道：「你猜猜我們談了什麼？」

「我猜不出。在談論康特之前，我想知道加州理工學院的情況，他們答應給你工作了嗎？」

「對，一個很不錯的工作。」

「還有呢？」

塞麗絲汀遲疑起來。她十分清楚他更屬意哈佛。但她也知道諾貝爾獎給傑利帶來了多方面的變化。最重要的一個也是最不可能預測到的一個變化，就是他使用這個獎把自己降低到比她還低一級。塞麗絲汀的事業開始在興起，傑利卻決定降格爲一個學生。他們兩人都對此事開過玩笑：有醫學院學生是從諾貝爾獎起步的嗎？她知道他也爲之擔心。教授們會怎麼對待他呢？會有差別嗎？他們是否會試圖打掉他的傲氣？更重要的是，他的同學會怎麼看待他？塞麗絲汀猜測到這些都可能會給他們兩人的關係帶來一些壓力。她已經非常小心謹慎了。「我可能會接受這個工作。我覺得這個對我最合適。洛杉磯一帶有很多醫學院，」她急急忙忙往下說：「可以到你選擇的任何一個學校去。」

「要是我告訴他們有關諾貝爾獎就行。如果我不說的話，我打賭沒有多少錄取委員會猜得到。錄取的可能性就不大。」

「傑利，不要太單純了。你也知道錄取委員會很少以才取人。我看你就利用一下這個獎。如果我去加州理工學院的話，洛杉磯加州分校可能是你的最佳選擇，這樣我們可以在這兩個學校中間的地方住，離誰都不會太遠。等過幾個星期你來這後才討論那個吧！你會來吧？」

「當然啦。」

「你聽起來不太開心。你眞的那麼喜歡波士頓，還是哈佛？」

「都有吧。」她可以聽出他在試圖改變口氣。她心中想著，他是眞的沒意見了，還是想留到以後才說，「你眞挑了一個好日子來告訴我關於加州的事。這裡眞是很冷，爛泥飛濺。你剛剛說起I.C.。他還與你姨媽見面嗎？」

「當然，我都沒有與她單獨在一起待上一分鐘，否則我會問問她。但是，如果他們同居的話，我也不會吃驚。」

斯達福發出了一聲長長的口哨。「我從未想過I. C.會這樣。他這些日子在忙些什麼？」

「我不知道。他不斷地追問我你的工作。當他聽我說到你會來看我時，就邀請你吃中飯。」

「爲什麼他不親自邀請我？」

「傑利，不要太死板了。一頓中餐有一個死板的人就已經夠了。不管怎麼說，他是你的教授。」

「他過去是我的教授。」斯達福氣惱地說道。

「他仍然是。你們之間的臍帶還沒有斷。」

「臍帶？在兩個男人之間？」

「不要跟我裝傻，斯達福博士：你不需要醫學博士學位就可以弄明這個。你沒有注意近來你肚子裡的痛苦牽扯嗎？」

「我想那是你弄的。」他調皮地說。

「我眞希望……」她不無熱望地說著。

第二十一章

「你今天要穿這件嗎？」斯達福站在穿衣鏡前結著領帶。

塞麗絲汀坐在床邊，剛穿進一隻靴子。她抬起頭驚訝地問道：「傑利，你知道嗎，你從未問過我這樣的問題。就連在斯德哥爾摩時，你也沒有問，爲什麼今天這樣呢？」

斯達福從鏡子裡凝視了她一會兒，才轉過身來。過了好半天才說：「我來幫你穿上另一隻。」她伸出了另一隻腳。「你是對的。」他接著說，一邊來回吃力地拉著她的褲口。「爲什麼今天我關心起我們的穿著來了？爲什麼我打著領帶？我們又不是去教堂。」

塞麗絲汀往後挪動身子靠在床頭，兩隻穿好靴子的大腿交叉著。近幾個月來，傑利變得很愛反省自己。她很喜歡聽他這樣。

「也許是因爲我聯想到上次我們到I.C.家的事。你還記得那時我是多麼地膽怯？塞麗，如果你沒有和我一起去，那天我一定過不了關。僅僅四個月以前，對不對？感覺就像是幾年前的事。好像是在別人身上發生似的。」

「是什麼引起了這個變化呢？諾貝爾獎嗎？」

「不完全是。在過去的幾個月裡，我一生中第一次自己做出了一些重大決策。我離開南卡搬到這裡後，I.C.幾乎代替了我的父母。這沒有什麼不好。我學到了很多東西。但是從某種意義上來講，多少受到了操縱。我不認爲 I.C. 是有意這樣做的。譬如說，克羅斯對他實驗室的用人策略就比較謹愼仔細。儘管我們與他見面比起 I.C. 與實驗室的人見面要少得多。也許在研究生階段學習就是這樣的，幾年中只與一位教授有很深的接觸。尤其是如果他喜歡你，就會像父親造就兒子一樣來影響你。你和珍之間是否也是這樣？」斯達福在床前來回走著，然後他坐到塞麗絲汀身邊。

她拉著他的手。「不太一樣。不知是因爲我們年齡只相差十歲，還是因爲我們都是女人的原因。」

「想像一下我到醫學院學習會是什麼樣子，感到很有意思。我不再需要一個導師——我十分清楚我想做什麼和將來的去向。諾貝爾獎帶給了我一種獨立性，這與經濟上的保障完全不同。」

「傑利，別忘了你將是你班上唯一連聽診器也不用貸款的人。」

斯達福似乎沒有聽見，接著說：「我感到，我今天見到 I.C.，就好像去朝見貴族一樣。也許這就是我穿上西服和領帶的原因。他衣著總是非常得體。」

塞麗絲汀很想與她的姨媽有些女人間的交談。這對年輕人剛剛走入康特的屋子，塞麗絲汀就拉著姨媽走進了廚房。「我幫你做午飯。」她口氣如此肯定，菠娜感到沒有必要多費口舌。

「傑利，我可以給你倒點什麼喝的？」康特問道。獨自與過去的學生相處的不自在，使他自覺吃驚。

「謝謝。」斯達福答道，「現在不要。」他走到坐之機旁邊，小心翼翼地坐了下來。康特給自己倒了一杯飲料。斯達福則打量著四周的牆壁。幾個月之前他到這裡時，心裡只有自己的當務之急而無心注意這房間。現在他發現自己竟面對著雪萊的一幅色情水彩畫。正如康特曾對菠娜說過的，大多數來訪者，斯達福也不例外，都不熟悉這位奧地利畫家。但是對於雪萊的作品，不需要是行家，也能在第一眼就被打動的。

「哦，你覺得如何？」康特令人毫無知覺地走到了斯達福身邊。

「它們……應該怎麼說呢？」他結結巴巴地說著。

「不是你能預料的？」

斯達福笑了。「不，I.C.，這不是我要說的，但你猜對了，這正是我所想的。他們很……很特別。」

「很多人用過了這個詞，眞有趣。他們眞正的意思是說這些畫很色情。」

斯達福毫不掩飾地打量著康特的臉龐。他以前看過這張臉嗎？他不認爲如此。至少沒有這樣看過。他與這位長輩的眼睛對視了好一陣，最後才同時收回了眼光。

「I.C.我們兩人此時的情景眞令我好笑。我已認識你很久，我對你也很敬佩，直到最近我才意識到我對你瞭解很少。今天穿著我最好的西服，打著領帶，而我生平第一次見你沒有打領帶。」

康特低頭看了看彷彿他才剛剛注意到他的敞胸襯衣和毛衣。「這是我的錯。」他低聲咕噥著，舉起手來，手掌向上。「傑利，我早就應當邀請你來。你對波士頓的生活適應了嗎？」

「還好，」斯達福小心地回答。「當然，和你的實驗室不一樣。」

「怎麼個不一樣法？」提問已不像以前那樣咄咄逼人。

「哦，克羅斯實驗組大多了。這也許是我不常見到他的原因吧。」

「這可不好。」康特的語調沒有多少變化。

「不算太壞。我倒還喜歡。」

「哦？」

「I.C.，請不要誤會。」斯達福向前傾了傾。「我從你那裡學了極多的東西。已是我應用這些知識的時候了。」

「你現在在做些什麼研究？」即使傑利的話裡暗示些微不滿，康特也沒有察覺到。他很慶幸他們這麼快地就移到了一直縈繞心頭的那個話題上。這比他想像要來得早，來得快。

「主要是學習一些方法技術。我想我不太可能再碰上去年那麼個千載難逢的實驗。」他的視線移到康特的腳上。「我想如果我學習一些新技術和研究一些在醫學院學習之後對我可能有用的問題，效益會大些。」

「我想你會去加州大學洛杉磯分校。」

「哦？」斯達福吃了一驚。「你是怎麼知道的？這是我申請的學校之一，但我還沒有收到他們的回音。」

「傑利，你不會如此擔心吧？剛剛獲得諾貝爾獎的人會被拒絕，那就太荒唐了。」

「是共同獲得諾貝爾獎。」斯達福更正他。「我倒不擔心，我沒有在申請表上註明。我倒希望他們不知道這個，而錄取了我。」

「傑利，有一件事我一直在奇怪著：為什麼你選加州大學的洛杉磯分校？我猜測你的未婚妻在哈佛也得到了一個工作。為什麼不說服她接受這個？這稱不上退而求其次。」

「對她也許是。」

康特好像沒有聽到。「你說過你正在研究庫爾特腫瘤的細胞微生態學。」

斯達福皺起眉頭。「我說過嗎？」

「哦，也許你沒有說得這麼具體，」康特意識到他提及了一些從塞麗絲汀那兒聽到的消息。她可能沒有告訴她的未婚夫關於他們前次晤面的交談。「你還做些什麼？」他急急忙忙地說：「這些不會占據你的全部時間。」

「為什麼不呢？我的時間都花在這上面了。不過，老實說，我再沒有像與你一起工作時那樣努力了。事情都在變化。在克羅斯實驗室裡工作時能否發表一些熱門文章對我已無關緊要了，甚至可能連我是否有文章發表也都無關緊要了。」

「你是變了。我沒有想到會變得這麼快。」

「自從去年那件事之後？」

康特點了點頭，不知道該做些什麼好。他有一種不舒服的滋味，有一點點熟悉，只是一時無法辨別。後來他想起曾在斯達福做諾貝爾獎報告時他也有過此感覺。

「I.C.，」斯達福在座位上直了直身子。他話音中的某些東西也使得康特聯想起那個報告。「你從未問過我那個星期天晚上，爲什麼獨自一人回到你的實驗室。」

康特再次點點頭，臉上沒有表情，「對，我沒有問過。」

「難道你不想知道嗎？」

「如果你想告訴我的話。」

「但是你就不會問我嗎？」

「不，我不會。」

「是因爲害怕？」

「我想是吧。」

斯達福注視著他的教授，慢慢地搖了搖頭。無言可對。

康特的眼睛緊盯著地板，「我上個月見到了庫爾特·克羅斯，」他說：「他到芝加哥來找我。」

斯達福正在發呆，沒有說話。

「他說你在重複我的實驗時遇到一些麻煩。」康特沉默了好一陣，「爲什麼你不打電話來？我也許能幫上點什麼。」

「麻煩？我沒有麻煩。」

「克羅斯說你有過的。你沒有提及過，我還以爲你不想告知這個壞消息。」他抬起頭，顯出一陣輕鬆。「你沒有嗎？」

「我沒有說是因爲我現在不再做它了。」

「誰在做它呢？」康特困惑地問。

「沒有人。爲什麼還要人研究你的實驗？」

「我不明白。」

斯達福看著他以前的教授，他的腦袋前伸到敞開的襯衣前方，滿臉迷惑的表情。他爲他的指導老師感到一陣憐憫。他輕聲說道：「我在重複你的工作時沒有任何困難。怎麼會有困難呢？I.C.，你的筆記本非常清晰。」斯達福感到一絲難堪，突然更換了角色，他好像是在開導一位他所關心的學生。「說來也奇怪，你總是教導我們做好筆記、紀錄，可我在與你一起工作時卻從未見過你的。I.C.，不要誤解我，當你將你的複印稿件寄給克羅斯時，我眞覺得那就像一個學生向教授遞交筆記本一樣。克羅斯把它給我時，我幾乎被感動了。老實說，我之所以用「幾乎」二字，是因爲我不喜歡我是通過克羅斯，而未能直接從你那兒得知你工作的內情細節。」

康特臉上毫無表情。

「無庸置疑，你的筆記清晰而準確。你也知道在你實驗室我受過良好的訓練。我第一次就輕易地重複了你的實驗。」

「你完成了它？」康特抑制不住他的震驚。「什麼時候？」

斯達福躊躇著，無論他說什麼都會要麼出賣克羅斯要麼背叛康特。

一月十五日左右。我記得這個日子，因爲克羅斯不像你那樣老是在背後催我們。那天我完成了重複你的實驗，心裡琢磨著不知他什麼時間才會來問我。一週過去了，他才到實驗室來，我也就告訴了他。當時眞是有點奇怪，因它使我聯想起你與我的一次談話。記得你剛從哈佛做報告回來，當時你提到聽衆的哄笑，並對我講了這個實驗，你說過類似的『第一次我要求你保密』的話。你還記得吧？」

康特全身前傾，就像馬上就要躍起似的。「他說了什麼？」

「他首先引用費米（Enrico Fermi）的話，『對一個設想的實驗驗證只是一種措施。一個實驗如果對一個設想預測的否定便是一個發現。』但接著他說，『我們還是暫時把這擱起來。我現在還不想將它發表。反正，我們剛剛已把大橋驗證你的實驗的文章投了出去。正如費米所說，只是重複他人的工作沒有多少好處。』」

「這個雜種！」

斯達福驚呆了。他從未聽到康特使用過這樣的語言。他終於結結巴巴說道：「克羅斯有其道理，不需要急於將第二個實驗驗證發表出去。我們已獲得了諾貝爾獎；大橋和克羅斯也已重複出了那個實驗。我在斯德哥爾摩已向大會宣佈了他們的驗證。那篇文章幾個月後就會出版。還有什麼可急的呢？」

「你難道不急於發表你對我的實驗的驗證嗎？」

「我為什麼要急呢？你知道嗎，當克羅斯要我接手大橋扔下的工作，重複這個你一直對我保密的實驗時，我非常得意。通過重複你的實驗，我可以乘機成為你的合作者。I.C.，你的實驗確實非常漂亮，你在斯德哥爾摩的報告也公正地描述了它。那為什麼我要發表這個驗證呢？你知道這個實驗已在另一個實驗室裡重複出來還不夠嗎？或者你還是因由我來做這件事而不悅？如果是這樣的話，我發表這篇文章，並解決不了你的困擾。你難道沒有覺察到克羅斯在其中作戲嗎？這正像他的那種幽默感，難道不是嗎？對不對？他一定意識到我們之間發生了什麼。也許他以為這樣安排可以使他弄清楚內幕。」

菠娜已在客廳門口出現過好幾次了，但每次都小心地退了出來。這兩個男人都沒有注意到。現在她喊了起來，「我想你們兩個談的夠久了，該是吃午飯的時候了。你們一定餓死了。」

「我餓極了。」斯達福馬上說，並站了起來，他一直在尋找一個合適的方式來結束交談。

「我沒有胃口，」康特說。

第二十二章

柯里—康特骨董公司
精美英式家俱
郵政3759，芝加哥，伊利諾州，60626

三月一日

親愛的克羅斯：

傑利．斯達福最近拜訪了我們，並報告了他在你實驗室裡的顯著進步。我很高興得知他仍能在實驗台上妙手回春。當然，這不是我寫這封信的眞正原因。

你來訪時，曾獨特地稱這裡爲藏寶之地。稱我是一位古典家俱的收藏家，我感到很是吃驚。我不知道你對這些也很有眼力。這只說明我們之間瞭解太少了。

儘管我收藏古董的時間已不短，但菠娜．柯里才是該行的眞正行家。從我們這封信的函頭你可以知道，我和菠娜出於共同的愛好辦起了公司。以你那敏銳的眼睛，我相信你一眼就可以從我們的排名順序中分辨出相應的關係來。不用多說，我們都清楚資深作者資格的奧妙。

我想說的是：我突然想起你也許會對菠娜最近碰到的一件別具一格的家俱有興趣。這是一件十九世紀的搖椅，由麥克（Michael Thonet）製作的，狀況極好。它來自著名的好萊塢比利·懷德（billy Wilder）公司，出處不凡！你在哈佛大學的書齋可能需要一把。我記得從未在你的同事的辦公室見過這樣的家俱。相信你會贊同搖椅是最理想的座椅，或者應該說御座？——對正在等的人來說。

菠娜向你問好，並囑咐我向你表示，可以在這件完美無瑕的家俱上給你優惠價錢。

問候

I.C.

附言：我可能遺失了你的個人簡歷和生平介紹，但我相信有一天，它們會冒出來的。

11號 切特維克環路

波士頓，麻省 02146

三月九日

親愛的I.C.：

在讀完你最近的來信後，我才感到除了聖誕卡片外，我們從未有過私人信件。老實說，你的來信，在我看來有點裝腔作勢。看起來你藏有不少貨色：密西根湖邊的豪華別墅，室內音樂，骨董，和一位儀態端莊的女強人。還有什麼我漏掉了？麥克又是個什麼人物？他是一位高人一籌的家俱製造商呢，還是我遺漏了更微妙的東西？

我認爲該是我們取下面罩的時候了。我在芝加哥向你要求的是爲我提名諾貝爾獎，不僅僅是今年，而是持續不懈，一直到我獲得爲止。我們都明白你們的情況並不多見，像那些幸運的蘇黎世物理學家一樣，發現奇妙的超導後，沒幾個月就獲得了諾貝爾獎。絕大多數得主都是在提交諾貝爾委員會討論之前就反複被提名過的。

坦白地說，我對你那冷淡單純的舉止非常反感。沒錯，你沒有要我爲你推薦，但是你確實希望如此，對不？當我索要你的個人簡歷和生平介紹時，你立即就作了答覆。那篇隨信寄來的冗長且相當華麗的腫瘤理論的總結文章又是什麼意思？你對我會以我獨特的方式來公平評價你的工作感到不信任嗎？

說到諾貝爾獎和腫瘤發生學，你那尚未發表的著名的第二個實驗又是怎麼回事？還有，與斯達福合作的第一個實驗的詳細文章爲什麼還沒有寫出來？圍繞著這個研究工作散發出一股令人不愉快的氣味——是很淡，但還不至於淡到我這靈敏的鼻子聞不出來。如果你的腫瘤學理論因之給汙染了，那就眞有點可惜。這可不僅是聽起來絕對可行，而且也是智力上的傑作。還有，當我要求斯達福接手大橋的工作時，他開始是不願意的。後來在我的追問下，才得知你在向公衆宣佈之前，從未跟他講過你的第二個實驗。難道這就是你沒有神秘性的一個例子嗎？你居然有勇氣建議我向你的學生詢問你的明星般的個性。要是我的話，只會興高采烈地將此種消息告訴我喜愛的博士後，尤其是在決定了獨自做這個實驗之後。實際上，你爲什麼要親自做那個實驗呢？是爲了向我們顯示你仍然做實驗工作，而我們只是一些用鉛筆爬格子的人或拿到了永久居留權的那種傢伙嗎？既然第一個實驗已經證明了你們自己的觀點，爲什麼還要做第二個實驗來驗證？

是不是第一個諾貝爾獎實驗有那麼點不清白的地方？如果眞是的話，是誰做的第一個實驗？又是誰當大橋終於在第三次努力取得成功時在我實驗室裡？不可否認大橋曾親口告訴我是閃爍計數儀的校準問題，但是我們彼此都熟悉挽救面子的作爲。他也許編造藉口，來解釋斯達福沒在場時，前兩次實驗的失敗。

暫時，我不會惹是生非，因爲我還不清楚其中是否眞有是非。我從你的來信得知你已錯過了今年一月三十日的提名期限。我會原諒你的這個過失（我相信是出於無心的），主要是因爲在你們獲獎之後，癌症領域再接著得到諾貝爾獎的機會很小。但是明年、後年……。

我的要求如下：今年十一月你把提名表，就是右上角寫有「機密」二字，開頭爲「我們，諾貝爾委員會的成員，榮幸地邀請你提供……」的那分，給我寄來。爲簡化我們兩人間的事，表格將完全由我塡寫，然後寄給你簽名。你將簽好名的那分再寄給我，我會附上我的個人簡歷和其他的有關材料，然後由我將整個郵包寄往斯德哥爾摩。儘管我注意到表中某處寫有要求提名候選人的人，不能將提名的事告知他人，也不允許把提名之事通知被提名的人。但是我們清楚基本上無人遵循這個要求。

傑利·斯達福在諾貝爾報告上宣佈我們已驗證了他的實驗。幸運的是，這篇文章還沒出版。我剛剛撤回了大橋的這篇文章，相信你不會因此太震驚。不用擔心，我們只是向編輯藉口幾個要點需要檢查一下，沒有勞師動衆。再說，過分小心從不會有錯。我們打算暫時將它擱一陣子——比如說等到你寄來給我十一月二十一日的六十五歲生日的禮物的那把搖椅。實驗室會舉辦一個大型宴會，當然你會收到一封邀請信。請將你的音樂同伴帶來。衷心地

克羅斯

附言：我在重讀這封信時，才意識到我忘了提及關於對你的實驗的驗證。由於斯達福頭上的那片淡淡的烏雲（你一定能夠馬上就將其驅趕走），我建議我們暫時也將它擱起來。實在沒有什麼必要急急忙忙。歸根究柢，與斯達福一樣，你也已在諾貝爾頒獎會上報告了你的實驗工作。

後語

翟若適

科學上常應用到的幾種欺詐，除了初入門者外，深爲人知……它們可以被歸類爲欺騙、僞造、修整和編造……他們（我們那些搞科學的人）可以安息長眠，不是因爲有所發明，也不是因爲做出了一個成功的實驗，而是因爲實驗可以馬上被重複、驗證和評論……。

——查爾斯·巴倍吉（Charles Babbage）（一八三〇）

科學研究中露骨的欺騙是罕見的。此外，在科學上沒有嚴密的犯罪，也沒有永不可破的暗殺案，因爲科學是沒有侷限的。如果這個論點是重要的，那麼實驗遲早會被重複，理論遲早要被獨立地驗證。《康特的難題》沒有討論這類黑白分明的問題，而是構劃出在黑白之間的灰色區域，科學家們有時會有意或無意在此中迷失了方向。

湯姆斯·孔恩（Thomas Kuhn）曾稱科學的眞諦爲「例證科學」——一般是建立一個理

論設想，然後進行實驗驗證。理論設想聽起來都非常優美和顯而易見，令你覺得它一定是正確的。於是我們設計出實驗來驗證它，而結果也似乎證明我們是對的。我在這裡用了「似乎」二字。因爲有時會有些不一致的數據出現：比如說八個點中有二點不在同一條直線上，七隻老鼠中有一隻沒有存活。我們將其歸納爲實驗誤差或統計偏差——這些在科學中是不可避免的。我們遂發表了這組有意義的數據，我們的文章於是引起了轟動，同事和競爭對手急忙去重複我們的工作或用其他的方法來驗證。結論是「常規的科學」，我們的例證升上了萬聖殿。

就算我們有超人的洞察力，我們的推理完整無可挑剔，那我們對實驗數據修整的倫理道德又是什麼？這種行爲早在一百五十年前就被現代計算機的發明人，英國數學家查爾斯·巴倍吉（Charles Babbage）譴責過。無疑地這種行爲經久不敗：孟德爾（George Mendel）（奧地利遺傳學家）有過，牛頓（Sir I saac Newton）可能做過，還有培根（Francis Bacon）更是如此，他們洞察到事實背後的東西，修正他們的數據。那麼我們的合作者，我們的學生呢？他們是否給毒化了？從忽視我們設立門徒的例子中，我們不禁疑惑是否被雙重地玷汙了？科學即是對眞理的無私追求，也有其自己的習俗，自己的社會合同的合作團體。這些菁英們所表現的職業性的異常行爲，對其科學的文化又帶來了什麼害處呢？

我想在小說的字裡行間說明的就是這類黑白不明的灰色問題。然而我不可能以一個作者慣用的口吻來開頭和結束這小說：即聲明角色純屬虛構，任何與現實生活中的雷同純屬巧合。此外書中的內容也非科學幻想小說，譬如說，關於昆蟲的所有描述都是屬實的；雄性蝎蠅確有男扮女裝的行爲；雌性汗蜂的交配行爲受制於化學貞節帶；信不信由你，從魯伯·孟德格（Rupert Mnrdoch）的實驗得知《華爾街日報》眞的會抑制昆蟲 Pyrrhocorris apterus 的性發育，並引起早死，而倫敦的《時代》報則對其無妨害。

《康特的難題》一書以小說的方式來描寫科學。除一例外，所描寫到的科學研究全是眞實的。康特教授、傑利米亞·斯達福博士，塞麗絲汀·布勒斯，以及許多配角如格雷姆·盧弗金教授，庫爾特·克羅斯教授，珍·阿德莉教授等等都是我想像出來的。爲了排在以英文字母順序排名的作者名單的前茅，我書中的人物珍·阿德莉（Ardley）原名從珍·亞德莉（yardley）改了一個姓。我有一位科學上的同事也曾要求法官大筆一揮更改了姓名，躍過二十多個字母以把排名推前。難道我可以擔保康特，斯達福和其餘的人物就沒有在現實生活中出現過？在我四十多年的科學研究生涯裡，他們曾以各種不同的面貌多次出現過。書中大多數其他的名字都是眞實的：包括很多諾貝爾獎獲獎者；哈佛大學的有機化學家們，傑出的科學家如麥克康奈爾，中西（Nakanishi），羅爾羅夫斯，羅爾，史托克和威廉斯；雜誌編輯如《科學》的卡喜蘭特和《自然》的馬多克斯。我曾一次或多次與他們碰見過，其中不少是我的好朋友。我對他們的工作非常欽佩，但他們不應爲在我書中的出現和行爲負任何責任。

文章的發表，出版先後，作者排名的順序，雜誌的選擇，合作關係，殘酷的競爭，教授終生職位，科學研究經費，諾貝爾獎，和幸災樂禍，這些都是現代科學的靈魂和包袱。我採用康特和斯達福從事一個純屬假設的腫瘤理論的研究來描述它們。像斯達福然後是康特那樣光靠一個或二個只有幾個星期或幾個月長的簡單實驗，就能完成證實幾乎是不可能的。儘管他們的研究工作是虛構的，但是他們實驗室的背景，他們的道德觀和抱負，都是眞實的。作爲擁有科學家背景的創作者，我只有在完全虛構他們的科學研究的前提下，才能更加貼切和眞實地描述。

叢書總目錄

001	人生歌王	王禎和著	定價 140 元
002	刺繡的歌謠	鄭愁予著	定價 100 元
003	開放的耳語	瘂弦主編	定價 110 元
004	沈從文自傳	沈從文著	定價 180 元
005	夏志淸文學評論集	夏志淸著	定價 130 元
006	如何測量水溝的寬度	瘂弦主編	定價 130 元
010	烟花印象	袁則難著	定價 110 元
011	呼蘭河傳	蕭　紅著	定價 130 元
012	曼娜舞蹈教室	黃　凡著	定價 110 元
015	因風飛過薔薇	潘雨桐著	定價 130 元
017	春秋茶室	吳錦發著	定價 130 元
018	文學・政治・知識分子	邵玉銘著	定價 100 元
019	並不很久以前	張　讓著	定價 140 元
020	書和影	王文興著	定價 130 元
021	憐蛾不點燈	許台英著	定價 160 元
022	傅雷家書	傅　雷著	定價 220 元
023	茱萸集	汪曾祺著	定價 260 元
024	今生緣	袁瓊瓊著	定價 300 元
025	陰陽大裂變	蘇曉康著	定價 140 元
028	追尋	高大鵬著	定價 130 元
029	給我老爺買魚竿	高行健著	定價 130 元
031	獵	張寧靜著	定價 120 元
032	指點天涯	施叔青著	定價 120 元
033	昨夜星辰	潘雨桐著	定價 130 元
034	脫軌	李若男著	定價 120 元
035	她們在多年以後的夜裡相遇	管　設著	定價 120 元
036	掌上小札	蘇偉貞等著	定價 100 元
037	工作外的觸覺	孫運璿等著	定價 140 元
038	沒卵頭家	王湘琦著	定價 140 元
040	喜福會	譚恩美著	定價 160 元
041	變心的故事	陳曉林等著	定價 110 元
043	影子與高跟鞋	黃秋芳著	定價 120 元
044	不夜城市手記	蔡詩萍著	定價 130 元
045	紅色印象	林　翎著	定價 120 元
046	世人只有一隻眼	凌　拂著	定價 120 元
048	高砂百合	林燿德著	定價 180 元
049	我要去當國王	履　彊著	定價 120 元
050	黑夜裡不斷抽長的犬齒	梁寒衣著	定價 120 元
051	鬼的狂歡	邱妙津著	定價 150 元
052	如花初綻的容顏	張啓疆著	定價 100 元
053	鼠咀集——世紀末在美國	喬志高著	定價 250 元
054	心情兩紀年	阿　盛著	定價 140 元
055	海東青	李永平著	定價 500 元

叢書總目錄

056	三十男人手記	蔡詩萍著	定價 120 元
057	京都會館內褲失竊事件	朱　衣著	定價 120 元
058	我愛張愛玲	林裕翼著	定價 120 元
059	袋鼠男人	李　黎著	定價 140 元
060	紅顏	楊　照著	定價 120 元
062	教授的底牌	鄭明娳著	定價 130 元
068	少年大頭春的生活週記	大頭春著	定價 120 元
069	我們在這裡分手	吳　鳴著	定價 130 元
070	家鄉的女人	梅　新著	定價 110 元
072	紅字團	駱以軍著	定價 130 元
073	秋天的婚禮	師瓊瑜著	定價 120 元
074	大車拚	王禎和著	定價 150 元
075	原稿紙	小　魚著	定價 200 元
076	迷宮零件	林燿德著	定價 130 元
077	紅塵裡的黑尊	陳　衡著	定價 140 元
078	高陽小說研究	張寶琴主編	定價 120 元
079	森林	蓬　草著	定價 140 元
080	我妹妹	大頭春著	定價 130 元
081	小說、小說家和他的太太	張啓疆著	定價 140 元
082	維多利亞俱樂部	施叔青著	定價 130 元
083	兒女們	履　彊著	定價 140 元
084	典範的追求	陳芳明著	定價 250 元
085	浮世書簡	李　黎著	定價 200 元
086	暗巷迷夜	楊　照著	定價 140 元
087	往事追憶錄	楊　照著	定價 130 元
088	星星的末裔	楊　照著	定價 150 元
089	無可原諒的告白	裴在美著	定價 140 元
090	唐吉訶德與老和尙	粟　耘著	定價 140 元
091	佛佑茶腹鳾	粟　耘著	定價 160 元
092	春風有情	履　彊著	定價 130 元
093	沒人寫信給上校	張大春著	定價 250 元
094	舊金山下雨了	王文華著	定價 140 元
095	公主徹夜未眠	成英姝著	定價 160 元
096	地上歲月	陳　列著	定價 120 元
097	地藏菩薩本願寺	東　年著	定價 120 元
098	四十年來中國文學	邵玉銘等編	定價 500 元
099	群山淡景	石黑一雄著	定價 140 元
100	性別越界	張小虹著	定價 180 元
101	行道天涯	平　路著	定價 180 元
102	花叢腹語	蔡珠兒著	定價 180 元
103	簡單的地址	黃寶蓮著	定價 160 元
104	在海德堡墜入情網	龍應台著	定價 180 元
105	文化採光	黃光男著	定價 160 元

叢書總目錄

106	文學的原像	楊　照著	定價 180 元
107	日本電影風貌	舒　明著	定價 300 元
109	夢書	蘇偉貞著	定價 160 元
110	大東區	林燿德著	定價 180 元
111	男人背叛	苦　苓著	定價 160 元
112	呂赫若小說全集	呂赫若著	定價 500 元
113	去年冬天	東　年著	定價 150 元
114	寂寞的群衆	邱妙津著	定價 150 元
116	頑皮家族	張貴興著	定價 160 元
117	安卓珍尼	董啓章著	定價 180 元
118	我是這樣說的	東　年著	定價 150 元
119	撒謊的信徒	張大春著	定價 230 元
120	蒙馬特遺書	邱妙津著	定價 180 元
121	飲食男	盧非易著	定價 180 元
122	迷路的詩	楊　照著	定價 200 元
123	小五的時代	張國立著	定價 180 元
124	夜間飛行	劉叔慧著	定價 170 元
125	危樓夜讀	陳芳明著	定價 250 元
126	野孩子	大頭春著	定價 180 元
127	晴天筆記	李　黎著	定價 180 元
128	自戀女人	張小虹著	定價 180 元
129	慾望新地圖	張小虹著	定價 280 元
130	姐妹書	蔡素芬著	定價180元
131	旅行的雲	林文義著	定價 180 元
132	康特的難題	翟若適著	定價 250元

郵撥九折，帳號：17623526聯合文學出版社有限公司。
《聯合文學》雜誌訂戶八五折。掛號每件另加十四元。
本書目所列定價如與版權頁有異，以各書版權頁定價為準。

信用卡訂閱單

《聯合文學》

§郵購叢書

□一般讀者，享9折優待

□聯合文學雜誌訂戶，享85折優待

訂戶編號：UN________ (為維護權益，敬請註明)

□請以掛號寄書(另加郵費14元)

書名或書號(請註明本數)

____

____

____

合計金額：____________ 元

■信用卡資料

信用卡別（請勾選下列任何一種）

□VISA □MASTER CARD □JCB □聯合信用卡

卡號：____________________________

信用卡有效期限：_____ 年 _____ 月

身分證字號：________________________

訂購總金額：________________________

持卡人簽名：________________________ (與信用卡簽名同)

訂購日期：____ 年 _____ 月 _____ 日

訂購人姓名：____________ 電話：______________________

寄書地址：□□□

____

填妥本單請直接郵寄回本社或傳真(02)7567914

請填妥後對折裝訂，直接投郵即可，免貼郵票。

聯合文學出版社有限公司

台北市基隆路一段180號7樓

服務專線：(02)7666759

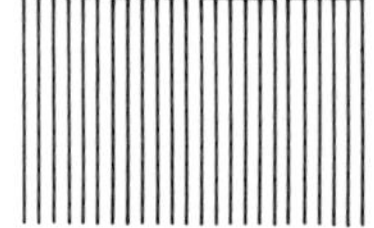

更方便的購書方式：

(1) 信用卡訂閱　填妥「信用卡訂閱單」，傳真或直接郵寄回本社

(2) 郵政劃撥　　聯合文學出版社有限公司　帳號：17623526

◉ 凡以上列方式郵購叢書，可享9折，雜誌訂戶85折優待

◉ 服務專線：(02)7666759讀者服務組

《聯合文學》　**康特的難題**　*書友卡*

感謝您購買本書，這一小張回函，是專為您、作者及本社搭建的橋樑，我們將參考您的意見，出版更多的好書，並提供您相關的書訊、活動以及優惠特價。

姓名：________________

地址：________________________________

電話：________________　職業：__________

出生：民國____年____月____日　性別：________

學歷：________________________________

您得知本書的方法

□報紙、雜誌報導　□報紙廣告　□電臺　□傳單　□聯合文學雜誌

□逛書店　□親友介紹　□其它 ________

購買本書的方式

□ ________ 市(縣) ________ 書局　□劃撥　□贈送

□展覽、演講活動，名稱 ________　□其他 ________

對於本書的意見（請填代號　❶滿意　❷尚可　❸再改進　請提供建議）

內容 ____ 封面 ____ 編排 ____ 其它 ________

綜合建議 ________________________________

____

____

您對本社叢書

□經常買　□偶而選購　□初次購買

您是聯合文學雜誌

□訂戶　□曾是訂戶　□零售選購讀者　□一般讀者　□非讀者

購買時間　____ 年 ____ 月 ____ 日

聯合譯叢 022

康特的難題(Cantor's Dilemma)

作　　者／翟若適(Carl Djerassi)
發 行 人／張寶琴

總 編 輯／初安民
主　　編／江一鯉
美術編輯／蘇婉儀　王永泰
校　　對／黃淑芬

出 版 者／聯合文學出版社有限公司
地　　址／台北市基隆路一段180號7樓
電　　話／7666759・7634300轉5106
郵撥帳號／17623526聯合文學出版社有限公司
登 記 證／行政院新聞局局版臺業字第6109號

印 刷 廠／世和印製企業有限公司
總 經 銷／聯經出版事業公司
地　　址／台北縣汐止鎮大同路一段367號三樓
電　　話／(02)6422629

出版日期／85年12月　初版
定　　價／250元

ISBN 957-522-156-7　Printed in Taiwan

國家圖書館出版品預行編目資料

康特的難題 / 翟若適(Carl Djerassi)著 ; 吳玲娟,楊潔,錢思平譯. -- 初版. -- 臺北市 : 聯合文學出版 ; 臺北縣汐止鎮 : 聯經總經銷, 民85

面 ; 公分. -- (聯合文叢 ; 22)

譯自 : Cantor's dilemma

ISBN 957-522-156-7(平裝)

874.57　　85012814